#홈스쿨링
#혼자 공부하기

똑똑한
하루 한자

#기초 한자부터 #실생활 속 한자어까지 #똑똑하게 어휘력 키우기

똑똑한 하루 한자 시리즈 구성 예비초~4단계

우리 아이 한자 학습 첫걸음

8급

1단계 A, B, C

7급 II

2단계 A, B, C

7급

3단계 A, B, C

6급 II

4단계 A, B, C

4주 완성 스케줄표

4단계 A

★ 공부한 날짜를 써 봐!

1주

1일 10~19쪽	2일 20~25쪽	3일 26~31쪽	4일 32~37쪽	5일 38~43쪽	특강
언어 한자 讀 읽을 독/구절 두 書 글 서	언어 한자 表 겉 표 現 나타날 현	언어 한자 新 새 신 聞 들을 문	언어 한자 記 기록할 기 事 일 사	언어 한자 話 말씀 화 題 제목 제	44~51쪽
월 일	월 일	월 일	월 일	월 일	월 일

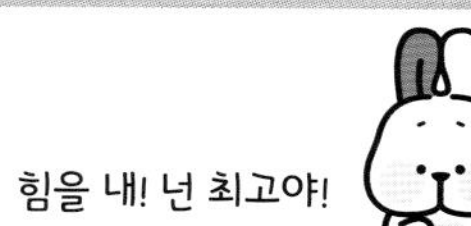

2주

1일 52~61쪽	2일 62~67쪽	3일 68~73쪽	4일 74~79쪽	5일 80~85쪽	특강
일상생활 한자 飮 마실 음 食 밥/먹을 식	일상생활 한자 藥 약 약 果 실과 과	일상생활 한자 窓 창 창 口 입 구	일상생활 한자 堂 집 당 室 집 실	일상생활 한자 車 수레 거/차 線 줄 선	86~93쪽
월 일	월 일	월 일	월 일	월 일	월 일

배운 내용은 꼭꼭 복습하기!

3주

1일 94~103쪽	2일 104~109쪽	3일 110~115쪽	4일 116~121쪽	5일 122~127쪽	특강
일상생활 한자 市 저자 시 外 바깥 외	일상생활 한자 工 장인 공 場 마당 장	일상생활 한자 農 농사 농 業 업 업	일상생활 한자 放 놓을 방 電 번개 전	일상생활 한자 高 높을 고 等 무리 등	128~135쪽
월 일	월 일	월 일	월 일	월 일	월 일

마지막 4주 공부 중. 감동이야!

4주

1일 136~145쪽	2일 146~151쪽	3일 152~157쪽	4일 158~163쪽	5일 164~169쪽	특강
공동체 한자 家 집 가 庭 뜰 정	공동체 한자 公 공평할 공 共 한가지 공	공동체 한자 社 모일 사 會 모일 회	공동체 한자 世 인간 세 界 지경 계	공동체 한자 平 평평할 평 和 화할 화	170~177쪽
월 일	월 일	월 일	월 일	월 일	월 일

Chunjae Makes Chunjae

▼

똑똑한 하루 한자 4단계 A

편집개발 이수현, 정하늘, 최은혜
디자인총괄 김희정
표지디자인 윤순미
내지디자인 박희춘, 조유정
삽화 강일석, 권순화, 김수정, 이은영, 이혜승
제작 황성진, 조규영

발행일 2022년 2월 1일 초판 2022년 2월 1일 1쇄
발행인 (주)천재교육
주소 서울시 금천구 가산로9길 54
신고번호 제2001-000018호
고객센터 1577-0902

똑 똑 한

하루 한자

똑똑한 하루 한자 4단계-A

구성과 활용 방법

한 주 미리보기

미리보기 활동

미리보기 만화

일일 학습

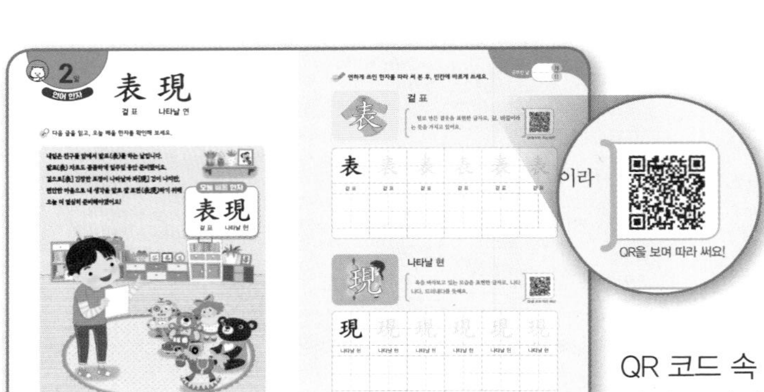

이야기를 읽으며 오늘 배울 한자를 만나요.

QR 코드 속 영상을 보며 한자를 따라 써요.

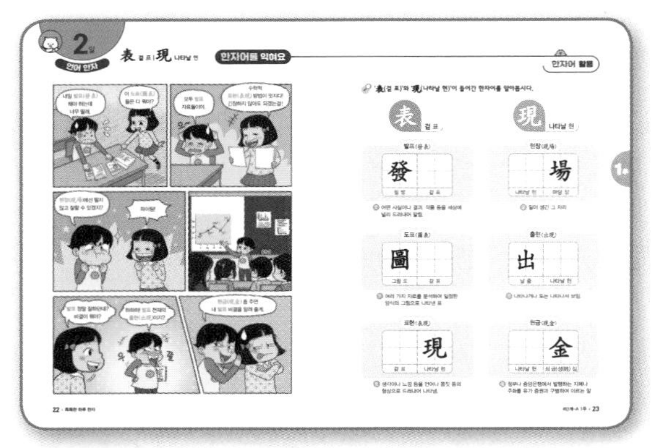

재미있는 만화로 생활 속 한자어를 익혀요.

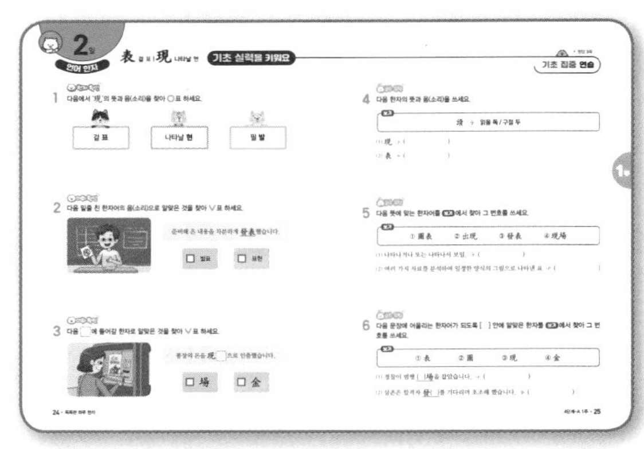

핵심 문제로 기초 실력을 키워요.

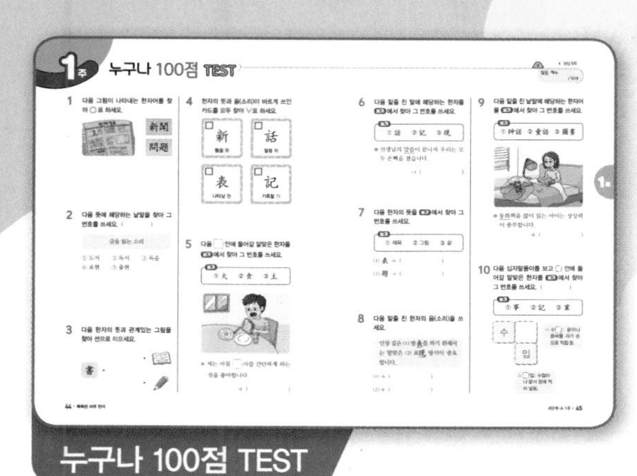

누구나 100점 TEST

한 주 마무리

문제를 풀며 한 주 동안
배운 내용을 확인해요.

특강

생각을 키워요

창의 · 융합 · 코딩 문제로
재미는 솔솔, 사고력은 쑥쑥!

부록

한자 카드로 더욱
재미있게 공부해요!

똑똑한 하루 한자

공부할 내용

1주

언어 한자

일	한자	한자어	쪽수
1일	讀 읽을 독/구절 두 書 글 서	讀書, 讀音, 會讀 圖書, 文書, 書面	14
2일	表 겉 표 現 나타날 현	發表, 圖表, 表現 現場, 出現, 現金	20
3일	新 새 신 聞 들을 문	新年, 新入生, 新聞 見聞, 所聞, 風聞	26
4일	記 기록할 기 事 일 사	記事, 手記, 記入 大事, 食事, 事業	32
5일	話 말씀 화 題 제목 제	話題, 童話, 神話 表題, 主題, 問題	38
특강	누구나 100점 TEST & 생각을 키워요		44

2주

일상생활 한자

일	한자	한자어	쪽수
1일	飮 마실 음 食 밥/먹을 식	飮食, 飮料, 飮用 外食, 韓食, 食水	56
2일	藥 약 약 果 실과 과	藥草, 韓藥, 藥用 藥果, 果然, 成果	62
3일	窓 창 창 口 입 구	學窓, 同窓, 窓口 食口, 人口, 入口	68
4일	堂 집 당 室 집 실	食堂, 明堂, 堂堂 堂室, 室內, 室外	74
5일	車 수레 거/차 線 줄 선	自動車, 車內, 下車 車線, 動線, 直線	80
특강	누구나 100점 TEST & 생각을 키워요		86

3주
일상생활 한자

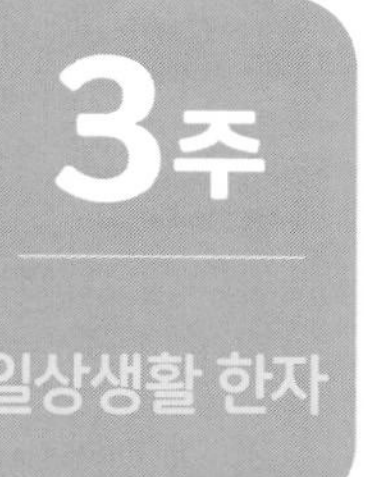

4주
공동체 한자

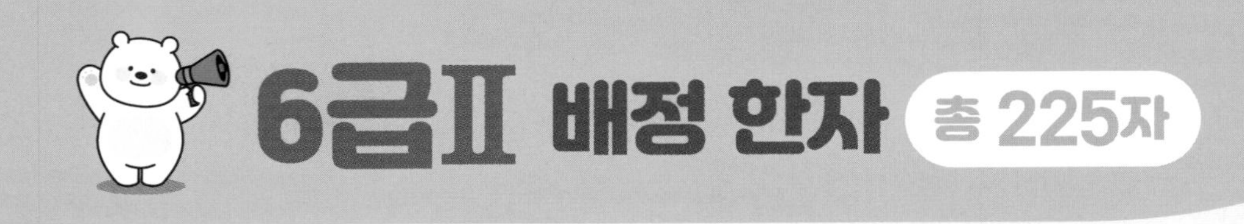

6급Ⅱ 배정 한자 총 225자

☐은 4단계–A 학습 한자입니다.

ㄱ 歌	家	各	角	間	江	車
노래 가	집 가	각각 각	뿔 각	사이 간	강 강	수레 거/차
計	界	高	功	公	空	工
셀 계	지경 계	높을 고	공 공	공평할 공	빌 공	장인 공
共	科	果	光	敎	校	球
한가지 공	과목 과	실과 과	빛 광	가르칠 교	학교 교	공 구
九	口	國	軍	金	今	急
아홉 구	입 구	나라 국	군사 군	쇠 금/성 김	이제 금	급할 급
旗	記	氣	ㄴ 南	男	內	女
기 기	기록할 기	기운 기	남녘 남	사내 남	안 내	여자 녀
年	農	ㄷ 短	答	堂	代	對
해 년	농사 농	짧을 단	대답 답	집 당	대신할 대	대할 대
大	圖	道	讀	冬	洞	東
큰 대	그림 도	길 도	읽을 독/구절 두	겨울 동	골 동/밝을 통	동녘 동
童	動	同	等	登	ㄹ 樂	來
아이 동	움직일 동	한가지 동	무리 등	오를 등	즐길 락/노래 악/좋아할 요	올 래
力	老	六	理	里	利	林
힘 력	늙을 로	여섯 륙	다스릴 리	마을 리	이할 리	수풀 림
立	ㅁ 萬	每	面	命	明	名
설 립	일만 만	매양 매	낯 면	목숨 명	밝을 명	이름 명
母	木	文	聞	門	問	物
어머니 모	나무 목	글월 문	들을 문	문 문	물을 문	물건 물

民	ㅂ 班	反	半	發	放	方
백성 민	나눌 반	돌이킬/ 돌아올 반	반 반	필 발	놓을 방	모 방
百	白	部	父	夫	北	分
일백 백	흰 백	떼 부	아버지 부	지아비 부	북녘 북/ 달아날 배	나눌 분
不	ㅅ 四	社	事	山	算	三
아닐 불	넉 사	모일 사	일 사	메 산	셈 산	석 삼
上	色	生	書	西	夕	先
윗 상	빛 색	날 생	글 서	서녘 서	저녁 석	먼저 선
線	雪	省	姓	成	世	所
줄 선	눈 설	살필 성/덜 생	성 성	이룰 성	인간 세	바 소
消	小	少	水	數	手	術
사라질 소	작을 소	적을 소	물 수	셈 수	손 수	재주 술
時	始	市	食	植	神	身
때 시	비로소 시	저자 시	밥/먹을 식	심을 식	귀신 신	몸 신
信	新	室	心	十	ㅇ 安	藥
믿을 신	새 신	집 실	마음 심	열 십	편안 안	약 약
弱	語	業	然	午	五	王
약할 약	말씀 어	업 업	그럴 연	낮 오	다섯 오	임금 왕
外	勇	用	右	運	月	有
바깥 외	날랠 용	쓸 용	오른 우	옮길 운	달 월	있을 유
育	飮	音	邑	意	二	人
기를 육	마실 음	소리 음	고을 읍	뜻 의	두 이	사람 인
日	一	入	ㅈ 字	自	子	昨
날 일	한 일	들 입	글자 자	스스로 자	아들 자	어제 작

作	長	場	才	電	戰	前
지을 작	긴 장	마당 장	재주 재	번개 전	싸움 전	앞 전
全	庭	正	弟	題	第	祖
온전 전	뜰 정	바를 정	아우 제	제목 제	차례 제	할아버지 조
足	左	注	主	住	中	重
발 족	왼 좌	부을 주	임금/주인 주	살 주	가운데 중	무거울 중
地	紙	直	集	ㅊ 窓	川	千
땅 지	종이 지	곧을 직	모을 집	창 창	내 천	일천 천
天	淸	靑	體	草	寸	村
하늘 천	맑을 청	푸를 청	몸 체	풀 초	마디 촌	마을 촌
秋	春	出	七	ㅌ 土	ㅍ 八	便
가을 추	봄 춘	날 출	일곱 칠	흙 토	여덟 팔	편할 편 /똥오줌 변
平	表	風	ㅎ 下	夏	學	韓
평평할 평	겉 표	바람 풍	아래 하	여름 하	배울 학	한국/나라 한
漢	海	幸	現	形	兄	花
한수 /한나라 한	바다 해	다행 행	나타날 현	모양 형	형 형	꽃 화
話	火	和	活	會	孝	後
말씀 화	불 화	화할 화	살 활	모일 회	효도 효	뒤 후
休						
쉴 휴						

함께 공부할 친구들

주 미리보기 에서 만나요!

친절하고 배려심 많은
푸름 탐정

똑부러지는 해결 박사
기쁨 탐정

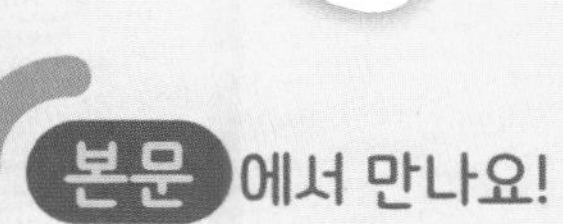

본문 에서 만나요!

단순하지만 마음이
따뜻한 친구 달이

정이 많고
똑똑한 친구 별이

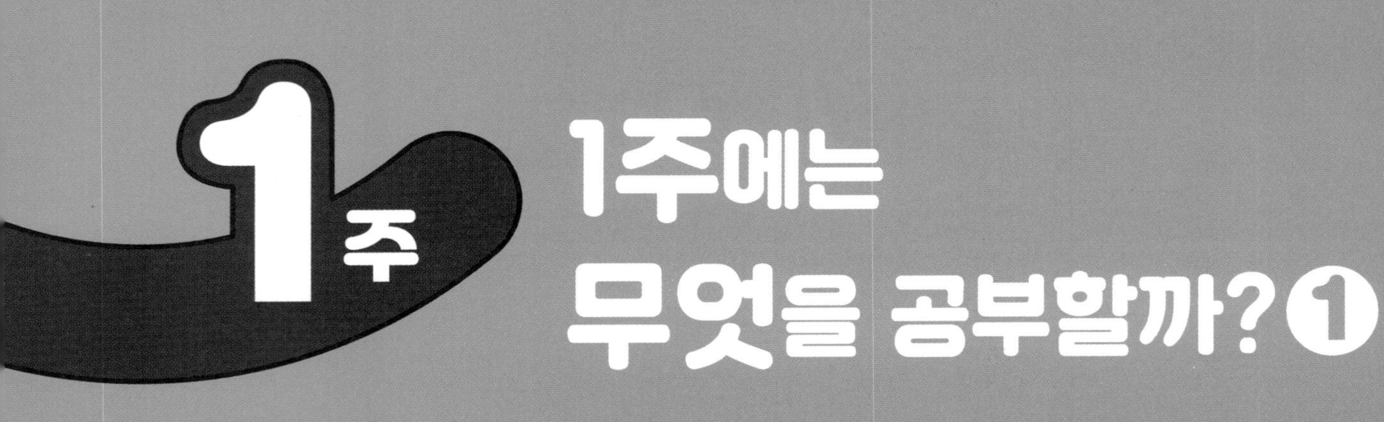
1주
1주에는
무엇을 공부할까? ❶

내가 이 사건의 범인을 세 명으로 추려냈어!
○○신문
황금책 실종 사건, 범인은 과연 누구인가?
오호, 어디 한번 볼까?

1번
베스트셀러 작가 ◇◇◇
2번
의사 ○○○
3번
피아니스트 □□□

음, 내 직감으로는 왠지 피아니스트가 범인 같아! 과학적 추리보다는 내 감이 더 잘 맞는다고!
너무 근거가 없는 거 아냐? 그렇게 범인을 추리하면 어떻게 해?

마침 오늘 뉴스에 범인의 특징이 나왔던데 한번 볼까?
범인의 특징
1. 讀書를 많이 하여 글의 表現이 풍부하다.
2. 新聞 記事에 나온 적 있는 話題의 인물이다.

이번 주에는 어떤 한자를 공부할까?

1일 讀 읽을 독 / 구절 두 | 書 글 서

2일 表 겉 표 | 現 나타날 현

3일 新 새 신 | 聞 들을 문

4일 記 기록할 기 | 事 일 사

5일 話 말씀 화 | 題 제목 제

1주

1주에는 무엇을 공부할까? ②

이번 주에 배울 한자가 그림 속에 숨어 있어요. 보기 를 참고하여 해당 한자의 음(소리)을 쓰세요. 그리고 황금책을 들고 있는 범인을 찾아 ○표 하세요.

◐ 정답 2쪽

보기

讀 읽을 독 / 구절 두	書 글 서	表 겉 표	現 나타날 현	新 새 신
聞 들을 문	記 기록할 기	事 일 사	話 말씀 화	題 제목 제

1주

讀 書

읽을 독/
구절 두

글 서

다음 글을 읽고, 오늘 배울 한자를 확인해 보세요.

나의 가장 큰 취미는 독서(讀書)입니다.
특히 판타지 소설책을 가장 좋아해서
한 달에 한 권씩은 꼭 읽어요[讀].
오늘은 내가 가장 좋아하는 작가님의 새 책이 나와서
서(書)점으로 달려가 바로 사 왔어요.
기다리던 글[書]을 이렇게 읽고[讀] 있다니 꿈만 같아요.

연하게 쓰인 한자를 따라 써 본 후, 빈칸에 바르게 쓰세요.

공부한 날 月 日

읽을 독/구절 두

물건을 팔아 돈을 세는 모습을 나타낸 글자로, 읽다, 구절이라는 뜻이 있어요.

QR을 보며 따라 써요!

讀	讀	讀	讀	讀	讀
읽을 독/구절 두	읽을 독/구절 두	읽을 독/구절 두	읽을 독/구절 두	읽을 독/구절 두	읽을 독/구절 두

글 서

붓으로 말을 적어 내는 것을 나타낸 글자로, 글, 글씨를 뜻해요.

QR을 보며 따라 써요!

書	書	書	書	書	書
글 서	글 서	글 서	글 서	글 서	글 서

1주

1일
언어 한자

讀 읽을 독 구절 두 | 書 글 서

한자어를 익혀요

게시판
관원 모집
□□□
태권도학원
전화 : 123-1456
○○음악회
베스트셀러 ○○○
신간 낭독회
• 일시:
20○○년 ○월 ○일
독자라면 누구나
신청 가능합니다.
신간을 모두 읽고
참여해 주세요.
○○마트
10주년 세일
10%~
30%
강아지를
찾습니다
이름 : 또또

내가 제일 좋아하는
작가님이 낭독회를 하신다니!
독자로서 이건 꼭
참여해야지!
엄청 어려운
책이라던데,
할 수 있겠어?

당연하지! 낭독회 전까지
하루 종일 독서(讀書)만 할 거야.
이 기회에 작가님의 눈에 들어
제자가 되고 말겠어!
그래,
기대할게!
음, 독음(讀音)이
하나도 안 들리는군.
내 힘으로는 이해가
안 되는 어려운 도서(圖書)
였잖아…….
끙…

다 같이 모여
회독(會讀)을 하면서
책의 내용을 파악하는
것은 어떨까?
그것도 힘들 것 같아.
그 대신에 작가님의 조수가
되어 문서(文書) 정리라도
하고 말 거야!
작가님
대기실
작가님! 혹시 조수는 필요
없으신가요? 서면(書面)으로
자기소개서 제출할게요!
에휴…….

'讀(읽을 독/구절 두)'과 '書(글 서)'가 들어간 한자어를 알아봅시다.

독서(讀書)

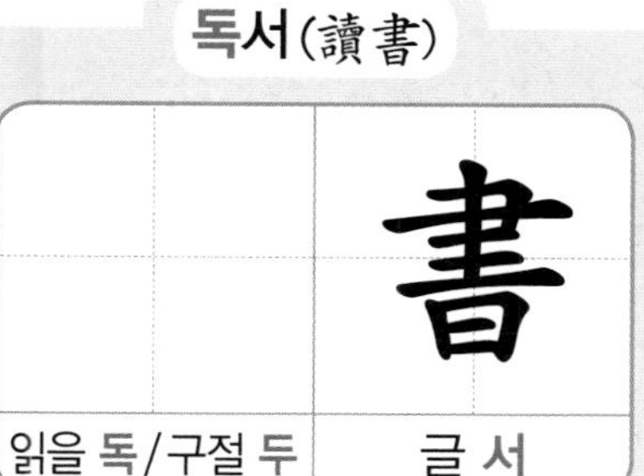

뜻 책을 읽음.

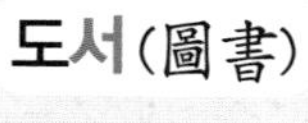

도서(圖書)

뜻 글씨, 그림, 책 등을 통틀어 이르는 말

독음(讀音)

뜻 글을 읽는 소리

문서(文書)

뜻 글자나 기호 등으로 일정한 의사나 관념, 사상을 나타낸 것

회독(會讀)

뜻 여러 사람이 모여 책을 읽고 그 내용을 연구하고 토론함.

서면(書面)

뜻 일정한 내용을 적은 문서

讀 읽을 독 구절 두 | 書 글 서

기초 실력을 키워요

한자 확인

1 다음 한자의 뜻과 음(소리)으로 알맞은 것을 찾아 선으로 이으세요.

讀	•	•	읽을 독 구절 두
書	•	•	글 서

어휘 확인

2 그림 속 내용이 맞으면 '예', 틀리면 '아니요'에 ○표 하세요.

'讀書'는 '책을 읽음.'이라는 뜻입니다.
예
아니요

'文書'는 '도서' 라고 읽습니다.
예
아니요

어휘 확인

3 다음 밑줄 친 한자어의 음(소리)을 쓰세요.

선생님께서 청소년 권장 圖書를 추천해 주셨습니다.

→ (　　　　　　　)

급수 유형

4 다음 한자의 뜻과 음(소리)을 쓰세요.

보기

答 → 답할 답

(1) 書 → (　　　　　　)

(2) 讀 → (　　　　　　)

급수 유형

5 다음 밑줄 친 한자어의 독음을 쓰세요.

보기

問答 → 문답

(1) 저는 학교 圖書관에서 소설책을 빌렸습니다. → (　　　　　　)

(2) 아이들의 청아한 讀音 소리가 참 듣기 좋습니다. → (　　　　　　)

급수 유형

6 다음 뜻에 맞는 한자어를 보기에서 찾아 그 번호를 쓰세요.

보기

① 讀音　　② 會讀　　③ 書面　　④ 圖書

(1) 일정한 내용을 적은 문서 → (　　　　　　)

(2) 여러 사람이 모여 책을 읽고 그 내용을 연구하고 토론함. → (　　　　　　)

表 現

겉 표　　나타날 현

다음 글을 읽고, 오늘 배울 한자를 확인해 보세요.

내일은 친구들 앞에서 발표(表)를 하는 날입니다.
발표(表) 자료도 꼼꼼하게 일주일 동안 준비했어요.
겉으로[表] 긴장한 표정이 나타날까 봐[現] 겁이 나지만,
편안한 마음으로 내 생각을 말로 잘 표현(表現)하기 위해
오늘 더 열심히 준비해야겠어요!

연하게 쓰인 한자를 따라 써 본 후, 빈칸에 바르게 쓰세요.

공부한 날 月 日

겉 표

털로 만든 겉옷을 표현한 글자로, 겉, 바깥이라는 뜻을 가지고 있어요.

QR을 보며 따라 써요!

表	表	表	表	表	表
겉 표	겉 표	겉 표	겉 표	겉 표	겉 표

나타날 현

옥을 바라보고 있는 모습을 표현한 글자로, 나타나다, 드러내다를 뜻해요.

QR을 보며 따라 써요!

現	現	現	現	現	現
나타날 현	나타날 현	나타날 현	나타날 현	나타날 현	나타날 현

1주

表 겉 표 | 現 나타날 현

한자어를 익혀요

'表(겉 표)'와 '現(나타날 현)'이 들어간 한자어를 알아봅시다.

발표(發表)

뜻 어떤 사실이나 결과, 작품 등을 세상에 널리 드러내어 알림.

현장(現場)

뜻 일이 생긴 그 자리

도표(圖表)

뜻 여러 가지 자료를 분석하여 일정한 양식의 그림으로 나타낸 표

출현(出現)

뜻 나타나거나 또는 나타나서 보임.

표현(表現)

뜻 생각이나 느낌 등을 언어나 몸짓 등의 형상으로 드러내어 나타냄.

현금(現金)

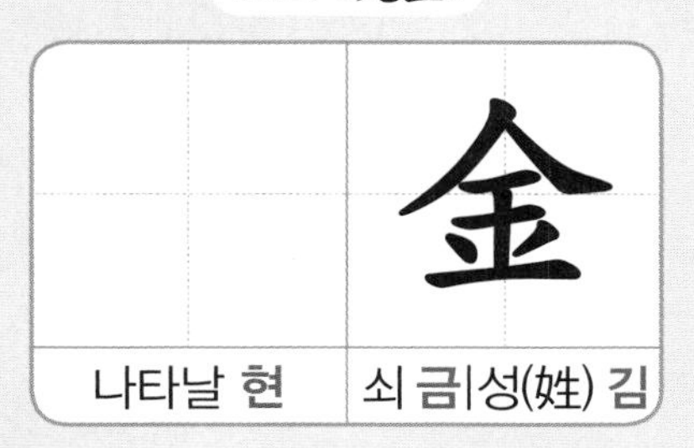

뜻 정부나 중앙은행에서 발행하는 지폐나 주화를 유가 증권과 구별하여 이르는 말

1주

表 겉 표 | 現 나타날 현

기초 실력을 키워요

1 다음에서 '現'의 뜻과 음(소리)을 찾아 ○표 하세요.

어휘 확인

2 다음 밑줄 친 한자어의 음(소리)으로 알맞은 것을 찾아 ∨표 하세요.

준비해 온 내용을 차분하게 發表했습니다.

□ 발표　　

어휘 확인

3 다음 □에 들어갈 한자로 알맞은 것을 찾아 ∨표 하세요.

통장의 돈을 現□으로 인출했습니다.

정답 3쪽

급수 유형

4 다음 한자의 뜻과 음(소리)을 쓰세요.

보기

讀 → 읽을 독/구절 두

(1) 現 → (　　　　　　)

(2) 表 → (　　　　　　)

급수 유형

5 다음 뜻에 맞는 한자어를 보기 에서 찾아 그 번호를 쓰세요.

보기

① 圖表　② 出現　③ 發表　④ 現場

(1) 나타나거나 또는 나타나서 보임. → (　　　　　　)

(2) 여러 가지 자료를 분석하여 일정한 양식의 그림으로 나타낸 표 → (　　　　　　)

급수 유형

6 다음 문장에 어울리는 한자어가 되도록 [ ] 안에 알맞은 한자를 보기 에서 찾아 그 번호를 쓰세요.

보기

① 表　② 圖　③ 現　④ 金

(1) 경찰이 범행 [ ]場을 잡았습니다. → (　　　　　　)

(2) 삼촌은 합격자 發[ ]를 기다리며 초조해 했습니다. → (　　　　　　)

新 聞

새 신 들을 문

다음 글을 읽고, 오늘 배울 한자를 확인해 보세요.

들려오는[聞] 소식에 의하면 이제 곧 학교에 신(新)입생들이 들어온대요.
새로[新] 들어오는 후배들에게 모범이 될 수 있는 멋진 선배가 되고 싶어요.
졸지 않고 수업도 열심히 듣고[聞],
일찍 등교해서 매일 신문(新聞)도 읽고…….
결심이 작심삼일로 끝나지 않게 노력해야겠어요!

공부한 날 月 日

연하게 쓰인 한자를 따라 써 본 후, 빈칸에 바르게 쓰세요.

새 신

나무를 잘라 땔감으로 만드는 모습을 나타낸 글자로, **새로운**이라는 뜻이에요.

QR을 보며 따라 써요!

新	新	新	新	新	新
새 신	새 신	새 신	새 신	새 신	새 신

들을 문

문 밖에서 나는 소리를 귀 기울여 듣는 모습을 표현한 글자로, **듣다**, **소식**이라는 뜻이 있어요.

QR을 보며 따라 써요!

聞	聞	聞	聞	聞	聞
들을 문	들을 문	들을 문	들을 문	들을 문	들을 문

1주

3일
언어 한자

新 새 신 | 聞 들을 문

한자어를 익혀요

신년(新年)이 되었으니 우리 학교에도 신입생(新入生)들이 많이 들어오겠네!
오호, 그렇지!

나 결심했어. 신년에는 학교에도 일찍 오고, 수업도 잘 듣는 모범적인 선배가 될 거야!
왜 이렇게 눈이 초롱초롱해?

일찍 도착했으니 신문(新聞)을 읽으며 견문(見聞)을 넓혀 볼까?

너무 일찍 왔더니 막상 수업 시간에 졸리네.

모두 환영합니다! 나처럼 수업 열심히 듣는 학생이 되어야 해!
신입생 환영

수업 시간에 열심히 존다는 소문(所聞)이 있던데?
선생님, 그건 풍문(風聞)일 뿐이에요!

'新(새 신)'과 '聞(들을 문)'이 들어간 한자어를 알아봅시다.

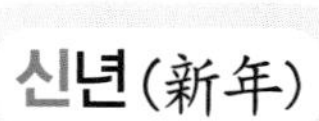

뜻 새로 시작하는 해

뜻 보거나 듣거나 하여 깨달아 얻은 지식

뜻 새로 입학한 학생

소문(所聞)

뜻 사람들 입에 오르내려 전하여 들리는 말

신문(新聞)

뜻 사회에서 발생한 사건을 널리 신속하게 전달하기 위한 정기 간행물

풍문(風聞)

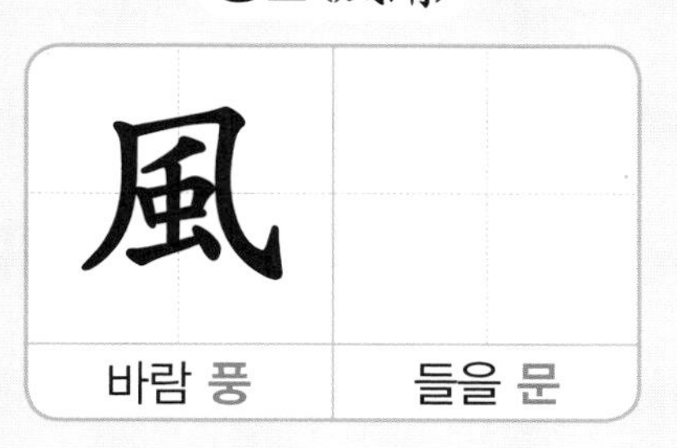

뜻 바람처럼 떠도는 소문

3일
언어 한자

新 새 신 | 聞 들을 문

기초 실력을 키워요

한자 확인

1 다음 말풍선 속 밑줄 친 뜻에 해당하는 한자를 찾아 V표 하세요.

오늘 새로운 학생이
전학을 왔어요.

☐ 聞

☐ 新

어휘 확인

2 다음 그림이 나타내는 한자어를 찾아 선으로 이으세요.

속닥
속닥

사람들 입에 오르내려
전하여 들리는 말

• 所聞

• 見聞

어휘 확인

3 힌트 를 보고 빈칸에 들어갈 알맞은 한자를 쓰세요.

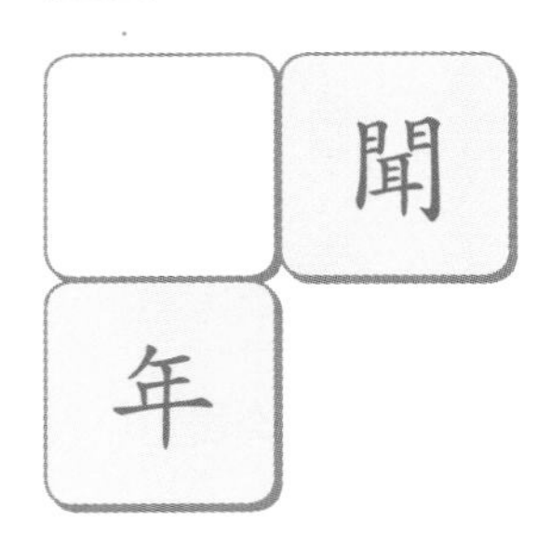
聞
年

힌트

- ☐聞: 사회에서 발생한 사건을 널리 신속하게 전달하기 위한 정기 간행물
- ☐年: 새로 시작하는 해

급수 유형

4 다음 밑줄 친 한자어의 독음을 쓰세요.

보기

表現 → 표현

(1) 所聞난 맛집에 방문했습니다. → (   )

(2) 新聞에 우리 학교에 관한 기사가 실렸습니다. → (   )

급수 유형

5 다음 뜻에 맞는 한자어를 보기에서 찾아 그 번호를 쓰세요.

보기

① 新聞 ② 風聞 ③ 新年 ④ 新入生

(1) 새로 입학한 학생 → (   )

(2) 바람처럼 떠도는 소문 → (   )

급수 유형

6 다음 문장에 어울리는 한자어가 되도록 [ ] 안에 알맞은 한자를 보기에서 찾아 그 번호를 쓰세요.

보기

① 聞 ② 見 ③ 新 ④ 生

(1) 그곳의 경치는 아름답기로 所[ ]이 자자합니다. → (   )

(2) [ ]年을 맞이하여 새로운 각오를 다지며 계획을 세웠습니다. → (   )

記 事

기록할 기　　일 사

다음 글을 읽고, 오늘 배울 한자를 확인해 보세요.

오늘 신문에서 로봇에 관한 기사(記事)를 봤습니다.
로봇이 집안일[事]도 도와주고, 식사(事)도 차려 주고
정말 많은 일[事]을 도와줄 수 있다고 하던데, 내 숙제까지 도와주면 얼마나 좋을까요?
만능 재주꾼 로봇을 만드는 사람이 되어 나도 신문 기사(記事)에 기록[記]되고 싶어요.

오늘 배울 한자

記 事

기록할 기　　일 사

달이 박사 가정용 로봇 개발 성공!

연하게 쓰인 한자를 따라 써 본 후, 빈칸에 바르게 쓰세요.

기록할 기

말을 잘 다듬어 마음에 새긴다는 데서 기록하다라는 뜻을 나타내요.

QR을 보며 따라 써요!

記	記	記	記	記	記
기록할 기	기록할 기	기록할 기	기록할 기	기록할 기	기록할 기

일 사

깃발을 단 깃대를 손에 든 모양을 나타낸 글자로, 일을 뜻해요.

QR을 보며 따라 써요!

事	事	事	事	事	事
일 사	일 사	일 사	일 사	일 사	일 사

記 기록할 기 | 事 일 사

한자어를 익혀요

한자어 활용

'記(기록할 기)'와 '事(일 사)'가 들어간 한자어를 알아봅시다.

기록할 기

事

일 사

뜻 신문이나 잡지 등에서 어떠한 사실을 알리는 글

뜻 다루는 데 힘이 많이 들고 범위가 넓은 일 또는 중대한 일

수기(手記)

뜻 글이나 글씨를 자기 손으로 직접 씀.

식사(食事)

뜻 끼니로 음식을 먹음.

기입(記入)

뜻 수첩이나 문서 등에 적어 넣음.

사업(事業)

뜻 어떤 일을 일정한 목적과 계획을 가지고 짜임새 있게 지속적으로 경영함.

1주

記 기록할 기 | 事 일 사

기초 실력을 키워요

한자 확인

1 다음 그림이 나타내는 한자를 찾아 선으로 이으세요.

· 記

· 事

어휘 확인

2 ◯에 알맞은 글자를 넣어 낱말을 만드세요.

신문이나 잡지 등에서 어떠한 사실을 알리는 글

◯사

끼니로 음식을 먹음.

식◯

어휘 확인

3 다음 ☐에 들어갈 한자로 알맞은 것을 찾아 ∨표 하세요.

책을 대출하려면 이름과 전화번호를
☐入해야 합니다.

☐ 記

☐ 手

급수 유형

4 다음 한자의 뜻과 음(소리)을 쓰세요.

보기

聞 → 들을 문

(1) 記 → (　　　　　　)

(2) 事 → (　　　　　　)

급수 유형

5 다음 뜻에 맞는 한자어를 보기 에서 찾아 그 번호를 쓰세요.

보기

① 事業　② 手記　③ 記入　④ 食事

(1) 수첩이나 문서 등에 적어 넣음. → (　　　　　　)

(2) 글이나 글씨를 자기 손으로 직접 씀. → (　　　　　　)

급수 유형

6 다음 밑줄 친 한자어의 독음을 쓰세요.

보기

新聞 → 신문

● 신문에 강도 사건에 대한 <u>記事</u>가 났습니다. → (　　　　　　)

話 題

말씀 화　　제목 제

다음 글을 읽고, 오늘 배울 한자를 확인해 보세요.

나의 장래 희망은 작가입니다.
글을 잘 쓰려면 책을 많이 읽어야 한다는 아버지의 말씀[話]을 따라
요즘 부지런히 책을 읽고 있어요.
내가 좋아하는 고대 신화(話)를 화제(話題)로 삼아서
제목[題]부터 흥미진진한 동화(話)를 꼭 쓰고 말겠어요!

연하게 쓰인 한자를 따라 써 본 후, 빈칸에 바르게 쓰세요.

공부한 날 月 日

말씀 화

좋은 말로 조심스럽게 이야기한다는 데서 **말씀**이라는 뜻을 나타내요.

QR을 보며 따라 써요!

話	話	話	話	話	話
말씀 화	말씀 화	말씀 화	말씀 화	말씀 화	말씀 화

제목 제

얼굴의 정면에 있는 이마를 표현한 글자로, **제목, 머리말**이라는 뜻을 가지고 있어요.

QR을 보며 따라 써요!

題	題	題	題	題	題
제목 제	제목 제	제목 제	제목 제	제목 제	제목 제

1주

話 말씀 화 | 題 제목 제

한자어를 익혀요

'話(말씀 화)'와 '題(제목 제)'가 들어간 한자어를 알아봅시다.

화제(話題)

뜻 이야기할 만한 재료나 소재

동화(童話)

뜻 어린이를 위하여 동심을 바탕으로 지은 이야기

신화(神話)

뜻 고대인의 사유나 표상이 반영된 신성한 이야기

題 제목 제

표제(表題)

뜻 서책의 겉에 쓰는 그 책의 이름

주제(主題)

뜻 작품에서 지은이가 나타내고자 하는 사상

문제(問題)

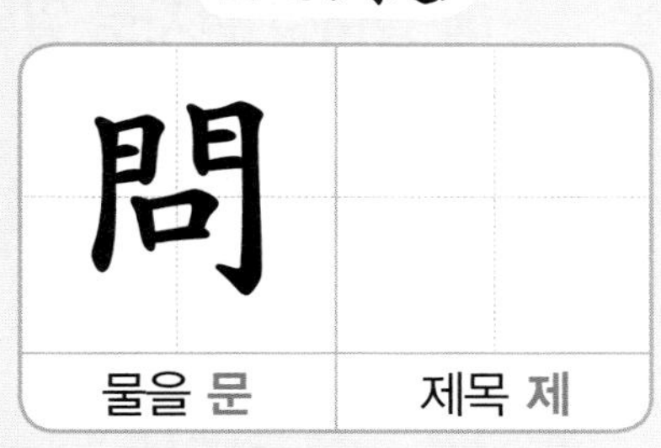

뜻 해답을 요구하는 물음. 해결하기 어렵거나 난처한 일

1주

5일
언어 한자

話 말씀 화 | 題 제목 제

기초 실력을 키워요

한자 확인

1 다음 한자의 뜻과 음(소리)으로 알맞은 것을 찾아 선으로 이으세요.

話 •	• 말씀 화
題 •	• 제목 제

어휘 확인

2 그림 속 내용이 맞으면 '예', 틀리면 '아니요'에 ○표 하세요.

'神話'는 '동화'
라고 읽습니다.
예
아니요

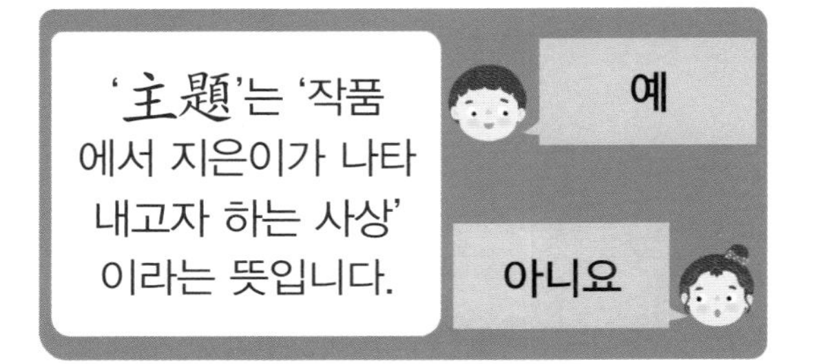
'主題'는 '작품
에서 지은이가 나타
내고자 하는 사상'
이라는 뜻입니다.
예
아니요

어휘 확인

3 다음 □에 들어갈 한자로 알맞은 것을 찾아 ∨표 하세요.

엄마가 아이에게 童□를 읽어 줍니다.

□ 題

□ 話

◐ 정답 4쪽

급수 유형

4 다음 밑줄 친 한자어의 독음을 쓰세요.

보기

記事 → 기사

(1) 이번 시험 問題는 지난번보다 더 어려워졌습니다. → (　　　　　)

(2) 작가는 독자들의 호기심을 유발하기 위해 일부러 재미있는 表題를 지었습니다.

→ (　　　　　)

급수 유형

5 다음 뜻에 맞는 한자어를 보기 에서 찾아 그 번호를 쓰세요.

보기

① 話題　② 神話　③ 童話　④ 問題

(1) 이야기할 만한 재료나 소재 → (　　　　　)

(2) 어린이를 위하여 동심을 바탕으로 지은 이야기 → (　　　　　)

급수 유형

6 다음 문장에 어울리는 한자어가 되도록 [　] 안에 알맞은 한자를 보기 에서 찾아 그 번호를 쓰세요.

보기

① 主　② 題　③ 問　④ 話

(1) 그리스·로마 神[　]에 관한 책을 재미있게 읽었습니다. → (　　　　　)

(2) 우리는 신문 기사를 話[　]로 삼아 이야기를 나눴습니다. → (　　　　　)

1
주

누구나 100점 TEST

1 다음 그림이 나타내는 한자어를 찾아 ○표 하세요.

천재 일보

新聞

問題

2 다음 뜻에 해당하는 낱말을 찾아 그 번호를 쓰세요. (　　　　)

글을 읽는 소리

① 도서　② 독서　③ 독음
④ 표현　⑤ 출현

3 다음 한자의 뜻과 관계있는 그림을 찾아 선으로 이으세요.

書

4 한자의 뜻과 음(소리)이 바르게 쓰인 카드를 모두 찾아 V표 하세요.

新
들을 문

話
말씀 화

表
나타날 현

記
기록할 기

5 다음 □ 안에 들어갈 알맞은 한자를 보기 에서 찾아 그 번호를 쓰세요.

보기

① 大　② 事　③ 主

● 저는 아침 식□를 간단하게 하는 것을 좋아합니다.

→ (　　　　　)

6 다음 밑줄 친 말에 해당하는 한자를 보기 에서 찾아 그 번호를 쓰세요.

보기
① 話 ② 記 ③ 現

● 선생님의 <u>말씀</u>이 끝나자 우리는 모두 손뼉을 쳤습니다.

→ (　　　　　)

7 다음 한자의 뜻을 보기 에서 찾아 그 번호를 쓰세요.

보기
① 제목 ② 그림 ③ 겉

(1) 表 → (　　　　　)

(2) 題 → (　　　　　)

8 다음 밑줄 친 한자의 음(소리)을 쓰세요.

인상 깊은 (1) 발<u>表</u>를 하기 위해서는 알맞은 (2) 표<u>現</u> 방식이 중요합니다.

(1) → (　　　　　)

(2) → (　　　　　)

9 다음 밑줄 친 낱말에 해당하는 한자어를 보기 에서 찾아 그 번호를 쓰세요.

보기
① 神話 ② 童話 ③ 圖書

● <u>동화</u>책을 많이 읽는 아이는 상상력이 풍부합니다.

→ (　　　　　)

10 다음 십자말풀이를 보고 ▢ 안에 들어갈 알맞은 한자를 보기 에서 찾아 그 번호를 쓰세요. (　　　　　)

보기
① 事 ② 記 ③ 業

수	▢
	입

→ 수▢: 글이나 글씨를 자기 손으로 직접 씀.

↓ ▢입: 수첩이나 문서 등에 적어 넣음.

1주

생각을 키워요 1

창의·융합·코딩

국어+한문 다음 만화를 읽고, 성어의 뜻을 생각해 보세요.

事必歸正

일 사 반드시 필 돌아갈 귀 바를 정

◐ 정답 5쪽

1주

◆ 성어의 뜻을 살펴보며 빈칸에 알맞은 한자를 채우세요.

→ '모든 일은 반드시 바른길로 돌아간다'는 뜻으로, 처음에는 그릇된 방향으로 나가더라도, 결국은 바른길로 돌아간다는 말

창의·융합·코딩

1주 특강 생각을 키워요 ②

코딩+한문 명절을 맞이하여 승민이와 로봇이 윷놀이를 합니다. 다음 한자어 명령어 를 잘 보고 물음에 답하세요.

명령어

윷	한자어	명령
도	讀書	한 칸 앞으로 움직입니다.
개	表現	두 칸 앞으로 움직입니다.
걸	記事	세 칸 앞으로 움직입니다.
윷	新聞	네 칸 앞으로 움직입니다.
모	話題	다섯 칸 앞으로 움직입니다.

◐ 정답 6쪽

1 다음 상황에서 승민이의 말이 로봇의 말보다 세 칸 앞서가려면 승민이가 던져야 할 윷에 해당하는 한자어의 음(소리)을 쓰세요.

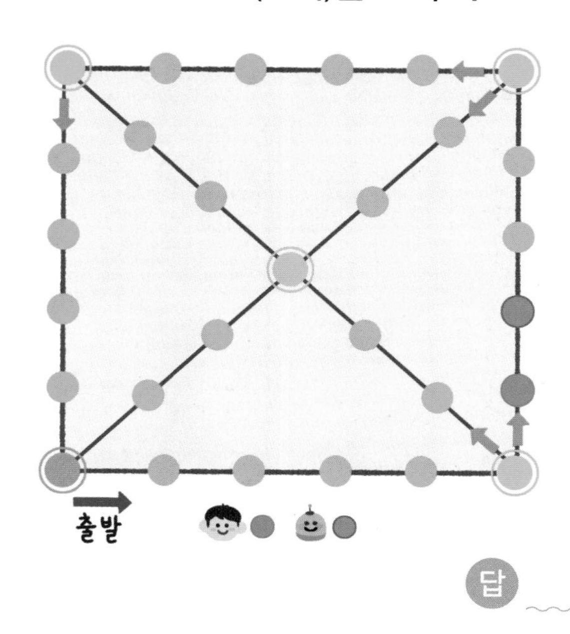

답

2 다음 상황에서 승민이가 아래 뜻에 해당하는 한자어 명령어 대로 윷을 던졌을 때 말이 놓이는 위치에 ○표 하세요.

생각이나 느낌 등을 언어나 몸짓 등의 형상으로 드러내어 나타냄.

상황

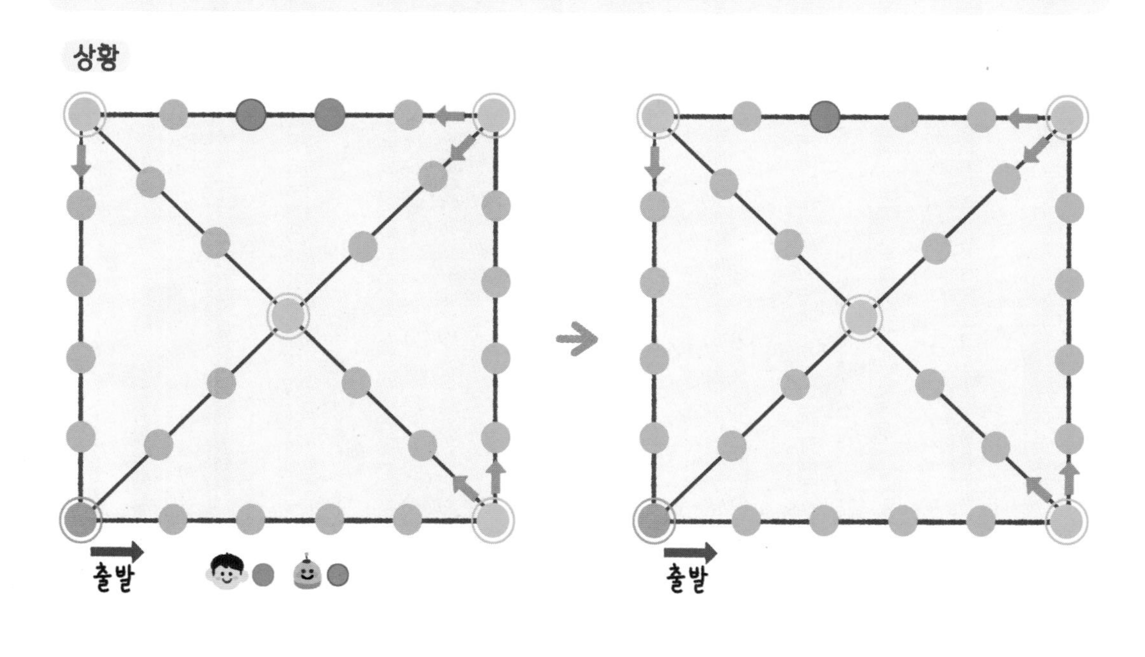

수학+한문 다음은 한자를 분수로 표현한 그림입니다. 다음 그림을 보고 물음에 답하세요.

◐ 정답 6쪽

1 달이가 설명하는 한자의 뜻과 음(소리)을 쓰세요.

답 

1주

2 $\frac{2}{8}$와 같은 크기의 한자를 찾아 ○표 하세요.

3 '나타날 현'에 해당하는 분수의 크기만큼 그림에 색칠하세요.

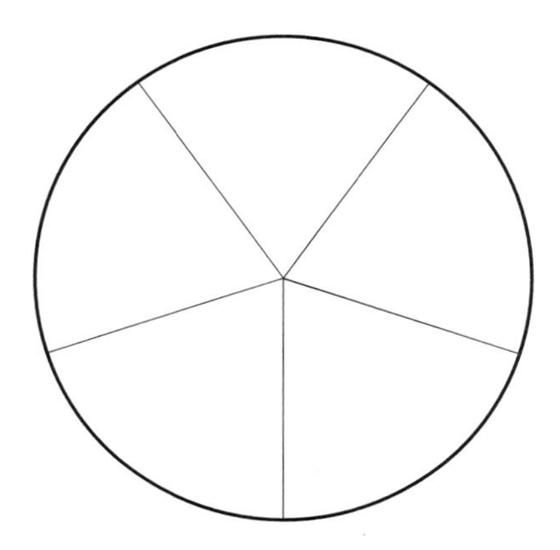

2주에는 무엇을 공부할까? ❶

무슨 일 있으세요?
사랑스러운 우리 헨젤이와 그레텔이 사라졌어요!

경찰을 통해 목격자의 진술서를 받았는데, 도통 무슨 말인지 알 수가 없네요. 제발 우리 아이들을 찾아 주세요!
사람을 찾는 일이라면 저희에게 맡겨 주세요!

목격자 진술서

- 운전자: 1車線 대기 중에 횡단보도를 건너 은행 쪽으로 가는 아이들을 봤어요.
- 은행 직원: 窓口에 앉아 잠깐 밖을 봤는데, 배가 고픈지 배를 만지작대면서 가더라고요.
- 행인: 이 아이들이라면 사탕, 초콜릿 같은 飮食이 잔뜩 붙은 堂室 앞에서 봤어요. 이 정도 단서면 찾는 것은 藥果겠죠?

우리 일상생활에서 자주 접하는 장소나 사물들이 나오는 것 같은데…….
목격자의 진술이 구체적이군. 다시 한번 볼까?

이번 주에는 어떤 한자를 공부할까?

1일 飮 마실 음 | 食 밥/먹을 식
2일 藥 약 약 | 果 실과 과
3일 窓 창 창 | 口 입 구
4일 堂 집 당 | 室 집 실
5일 車 수레 거/차 | 線 줄 선

목격자 진술서

- 운전자: 1차선 대기 중에 횡단보도를 건너 은행 쪽으로 가는 아이들을 봤어요.
- 은행 직원: 창구에 앉아 잠깐 밖을 봤는데, 배가 고픈지 배를 만지작대면서 가더라고요.
- 행인: 이 아이들이라면 사탕, 초콜릿 같은 음식이 잔뜩 붙은 당실 앞에서 봤어요. 이 정도 단서면 찾는 것은 약과겠죠?

음식이 잔뜩 붙은 당실이라면…….
아하! 역 앞에 새로 생긴 과자집이로구나!

아빠!
얘들아! 말도 없이 나가면 어떡하니? 얼마나 걱정했다고! 어서 집으로 돌아가자.

음식 값은 지불하고 가셔야 하는데요.
약도
어쨌든 아이들을 찾아서 다행이네요. 다음부터는 길 잃어버리면 안 돼!

2주

2주에는 무엇을 공부할까? ②

이번 주에 배울 한자가 그림 속에 숨어 있어요. 보기 속 한자를 순서대로 따라가 헨젤과 그레텔이 집에 무사히 도착할 수 있게 해 주세요.

◐ 정답 7쪽

보기
飮 마실 음 → 食 밥/먹을 식 → 藥 약 약 → 果 실과 과 → 窓 창 창
→ 口 입 구 → 堂 집 당 → 室 집 실 → 車 수레 거/차 → 線 줄 선

2주

飮 食

마실 음 밥/먹을 식

다음 글을 읽고, 오늘 배울 한자를 확인해 보세요.

다양한 나라의 음식(飮食)을 먹는[食] 것이 나의 즐거움입니다.
한식(食)도 좋지만, 일식(食)과 중식(食), 양식(食), 동남아 음식(飮食) 등
색다른 나라의 음식(飮食)을 먹는[食] 것도 정말 좋아요.
다양한 나라의 음식(飮食)을 먹고[食] 마시면[飮]
마치 그 나라를 여행하는 기분이 들거든요.

공부한 날 月 日

연하게 쓰인 한자를 따라 써 본 후, 빈칸에 바르게 쓰세요.

마실 음

물병에 담긴 물을 마시는 모습을 표현한 글자로, 마시다를 뜻해요.

QR을 보며 따라 써요!

飮	飮	飮	飮	飮	飮
마실 음	마실 음	마실 음	마실 음	마실 음	마실 음

밥/먹을 식

음식을 담는 그릇을 나타낸 데서 밥, 먹다라는 뜻이 생겼어요.

QR을 보며 따라 써요!

食	食	食	食	食	食
밥/먹을 식	밥/먹을 식	밥/먹을 식	밥/먹을 식	밥/먹을 식	밥/먹을 식

1일
일상생활 한자

飮 마실 음 | 食 밥/먹을 식

한자어를 익혀요

오늘은 다 같이 외식(外食)이나 할까?
좋아요!

음식(飮食)은 뭘 먹으면 좋을까요?
음…….

오늘은 한식(韓式) 말고 동남아 음식 어때요?
그래, 오늘은 한번 색다르게 먹어 보자!

와! 너무 멋져요!
어서오세요~

음료(飮料)가 벌써 나왔네.
벌컥

달이야, 그건 음용(飮用)할 수 있는 식수(食水)가 아니야. 손을 씻는 물이라고!
푸우~

한자어 활용

'飮(마실 음)'과 '食(밥/먹을 식)'이 들어간 한자어를 알아봅시다.

飮

마실 음

食

밥/먹을 식

음식(飮食)

食
마실 음
밥/먹을 식

뜻 사람이 먹을 수 있도록 만든 밥이나 국 등의 물건

외식(外食)

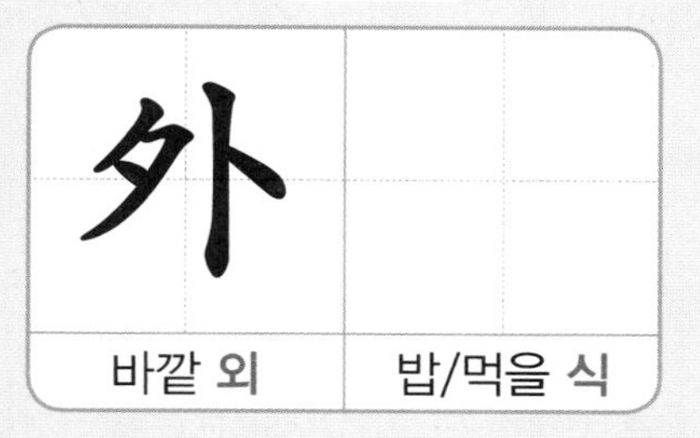

外
바깥 외
밥/먹을 식

뜻 집에서 직접 해 먹지 않고 밖에서 음식을 사 먹음.

음료(飮料)

料
마실 음
헤아릴 료

뜻 사람이 마실 수 있도록 만든 액체를 통틀어 이르는 말

한식(韓食)

韓
한국/나라 한
밥/먹을 식

뜻 우리나라 고유의 음식이나 식사

음용(飮用)

用
마실 음
쓸 용

뜻 마시는 데 씀.

식수(食水)

水
밥/먹을 식
물 수

뜻 먹을 용도의 물

飮 마실 음 | 食 밥/먹을 식

기초 실력을 키워요

한자 확인

1 다음에서 '食'의 뜻과 음(소리)을 찾아 ○표 하세요.

어휘 확인

2 다음 밑줄 친 한자어의 음(소리)으로 알맞은 것을 찾아 ∨표 하세요.

깨끗한 食水를 컵에 담아 먹었습니다.

□ 외식

어휘 확인

3 다음 그림이 나타내는 한자어를 찾아 선으로 이으세요.

우리나라 고유의 음식이나 식사

• 韓食

• 外食

기초 집중 연습

급수 유형

4 다음 한자의 뜻과 음(소리)을 쓰세요.

보기

題 → 제목 제

(1) 飮 → (　　　　　)

(2) 食 → (　　　　　)

급수 유형

5 다음 밑줄 친 한자어의 독음을 쓰세요.

보기

話題 → 화제

(1) 外食을 하러 맛집으로 소문난 식당에 갔습니다. → (　　　　　)

(2) 그곳은 환경 오염이 없어 계곡물을 飮用할 수 있습니다. → (　　　　　)

급수 유형

6 다음 뜻에 맞는 한자어를 보기에서 찾아 그 번호를 쓰세요.

보기

① 飮食　② 韓食　③ 食水　④ 外食

(1) 먹을 용도의 물 → (　　　　　)

(2) 사람이 먹을 수 있도록 만든 밥이나 국 등의 물건 → (　　　　　)

藥 果

약 약　　실과 과

다음 글을 읽고, 오늘 배울 한자를 확인해 보세요.

할아버지 댁 뒷산에 약[藥]으로 쓰이는 약(藥)초가 많이 자란다고 해요.
평소에 매의 눈이라는 이야기를 많이 듣는데,
나도 산에 올라 약(藥)초를 열심히 찾아봐야겠어요.
친구는 한 개만 캐도 대단한 거라던데, 그 정도는 약과(藥果)일 것 같아요!
도저히 못 찾으면 산에 떨어진 열매[果]라도 주워 오죠, 뭐.

연하게 쓰인 한자를 따라 써 본 후, 빈칸에 바르게 쓰세요.

공부한 날 月 日

약 약

약초를 먹고 다시 즐거운 상태로 되돌아가는 모습을 표현한 글자로, 약을 뜻해요.

QR을 보며 따라 써요!

藥	藥	藥	藥	藥	藥
약 약	약 약	약 약	약 약	약 약	약 약

실과 과

나뭇가지 위로 열매가 맺힌 모습을 나타낸 글자로, 열매, 결과를 뜻해요.

QR을 보며 따라 써요!

果	果	果	果	果	果
실과 과	실과 과	실과 과	실과 과	실과 과	실과 과

2주

2일
일상생활 한자

藥 약 약 | 果 실과 과

한자어를 익혀요

어제 아빠랑 산에 갔다가 약초(藥草) 꾼을 봤어.
와, 난 TV에서만 봤는데. 그 대단한 분을 실제로 보다니!

역시 전문가라 그런지 한약(韓藥)에 들어갈 약용(藥用) 약초를 한 번에 골라내시더라고.
나도 한번 도전해 볼까?

생각보다 어려울걸?
내가 이래 봬도 매의 눈이라고! 한 번 보면 특징을 딱 기억하지.

음, 잎이 이런 모양이라는 거지? 약초 찾는 건 약과(藥果)겠어. 내일 기대하셔!
약초도감

다음날
과연(果然) 성과(成果)가 있었나 보군!

나 약초 말고 돌을 팔아야겠어. 돌들이 너무 예쁘지 않니?
으이구, 그럴 줄 알았어.

'藥(약 약)'과 '果(실과 과)'가 들어간 한자어를 알아봅시다.

약 약

실과 과

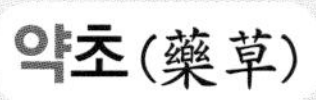

약초(藥草)

뜻 약으로 쓰는 풀

약과(藥果)

뜻 그만한 것이 다행임. 그 정도는 아무것도 아님을 이르는 말

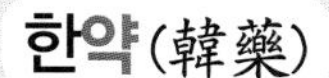

한약(韓藥)

뜻 한방에서 쓰는 약

과연(果然)

뜻 아닌 게 아니라 정말로. 결과에 있어서도 참으로

약용(藥用)

뜻 약으로 씀.

성과(成果)

뜻 이루어 낸 결실

2주

2일
일상생활 한자

藥 약 약 | 果 실과 과

기초 실력을 키워요

한자 확인

1 다음 한자의 뜻과 음(소리)으로 알맞은 것을 찾아 선으로 이으세요.

한자		뜻과 음
藥 •		• 실과 과
果 •		• 약 약

어휘 확인

2 그림 속 내용이 맞으면 '예', 틀리면 '아니요'에 ○ 표 하세요.

'藥草'는 '약으로
씀.'이라는
뜻입니다.
예
아니요

'果然'은 '성과'
라고 읽습니다.
예
아니요

어휘 확인

3 다음 밑줄 친 한자어의 음(소리)을 쓰세요.

이 <u>藥草</u>는 뿌리만 있으면 흙에서
아주 잘 자랍니다.

→ (   )

급수 유형

4 다음 한자의 뜻과 음(소리)을 쓰세요.

보기
飮 → 마실 음

(1) 果 → (　　　　　)

(2) 藥 → (　　　　　)

급수 유형

5 다음 뜻에 맞는 한자어를 보기 에서 찾아 그 번호를 쓰세요.

보기
① 果然　② 成果　③ 藥用　④ 韓藥

(1) 한방에서 쓰는 약 → (　　　　　)

(2) 아닌 게 아니라 정말로. 결과에 있어서도 참으로 → (　　　　　)

급수 유형

6 다음 문장에 어울리는 한자어가 되도록 [　] 안에 알맞은 한자를 보기 에서 찾아 그 번호를 쓰세요.

보기
① 然　② 藥　③ 果　④ 韓

(1) 이 나무껍질은 [　]用으로 이용됩니다. → (　　　　　)

(2) 이번 시험에서 기대 이상의 成[　]를 올렸습니다. → (　　　　　)

窓 口

창 창 　 입 구

다음 글을 읽고, 오늘 배울 한자를 확인해 보세요.

오늘 아빠의 학창(窓) 시절 이야기를 들었어요.
친했던 동창(窓) 친구분과 이제는 연락이 끊겨 아쉽다고 하셨어요.
창문[窓] 밖 학교를 바라보시는 아빠의 표정이 추억에 젖으시는 것 같아요.
내가 아빠와 아빠 친구분의 소통의 창구(窓口)가 될 방법은 없을까요?

연하게 쓰인 한자를 따라 써 본 후, 빈칸에 바르게 쓰세요.

공부한 날 月 日

창 창

창살이 있는 창문의 모습을 나타낸 글자로, 창문의 뜻을 가지고 있어요.

QR을 보며 따라 써요!

窓	窓	窓	窓	窓	窓
창 창	창 창	창 창	창 창	창 창	창 창

입 구

사람이 입을 크게 벌린 모습을 본뜬 글자로, 입을 뜻해요.

QR을 보며 따라 써요!

口	口	口	口	口	口
입 구	입 구	입 구	입 구	입 구	입 구

2주

3일
일상생활 한자

窓 창 창 | 口 입 구

한자어를 익혀요

저렇게 사이좋은 아이들을 볼 때마다 내 학창(學窓) 시절 친구가 생각나는구나!
시네마극장
아빠 친구는 어떤 분이셨는데요?

초등학교 동창(同窓) 중에 식구(食口)들끼리도 왕래할 정도로 친했던 친구가 있었어. 그런데 졸업한 뒤 이사를 가면서 연락이 끊겼단다.

아직 서울에 계시면 언젠간 마주 치지 않을까요?
서울 인구(人口)가 얼마나 많은데, 그게 가능할까?

간절한 마음을 가지면 언젠간 이루어진다구요!
하하, 별이를 믿어볼게.

저기 입구(入口)에 매표소 창구(窓口)가 있을 거야. 아빠 갔다 올테니 여기서 기다려!
상영관5층↑
←스낵코너
매표소

아이쿠, 죄송합니다!
쿵
앗, 너는 하루 초등학교를 졸업한 …….
반갑다 친구야!

거봐요, 제 말이 맞죠!

한자어 활용

'窓(창 창)'과 '口(입 구)'가 들어간 한자어를 알아봅시다.

뜻 공부하는 교실이나 학교를 이르는 말

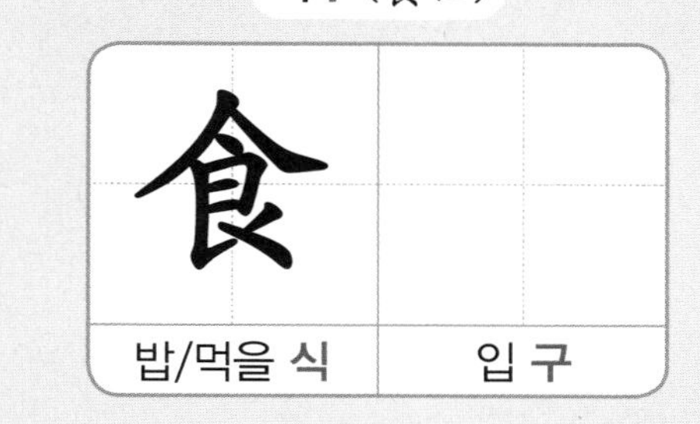

뜻 한집에서 함께 살면서 끼니를 같이하는 사람

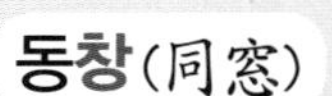

뜻 같은 학교에서 공부를 한 사이

뜻 일정한 지역에 사는 사람의 수

창구(窓口)

뜻 사무실이나 영업소 등에서 조그마하게 창을 낸 곳

입구(入口)

뜻 들어가는 통로

3일 일상생활 한자

窓 창 창 | 口 입 구

기초 실력을 키워요

한자 확인

1 다음 말풍선 속 밑줄 친 뜻에 해당하는 한자를 찾아 V표 하세요.

□ 窓

□ 口

어휘 확인

2 다음 그림이 나타내는 한자어를 찾아 선으로 이으세요.

같은 학교에서 공부를 한 사이

• 窓口

• 同窓

어휘 확인

3 힌트를 보고 빈칸에 들어갈 알맞은 한자를 쓰세요.

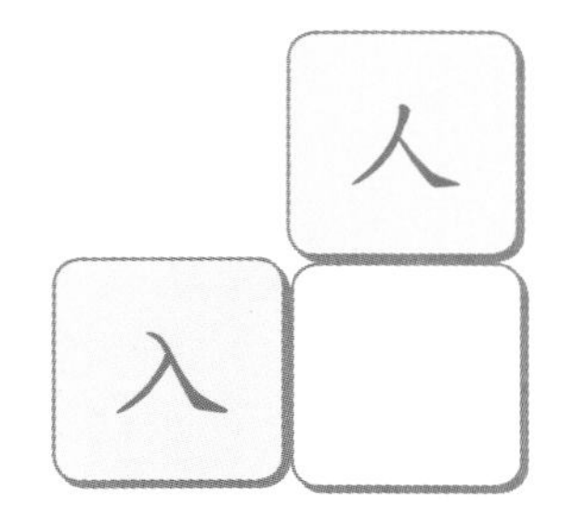

힌트
- 入□: 들어가는 통로
- 人□: 일정한 지역에 사는 사람의 수

급수 유형

4 다음 밑줄 친 한자어의 독음을 쓰세요.

보기

藥果 → 약과

(1) 명절에는 오랜만에 온 食口가 한자리에 모입니다. → (   )

(2) 어제 도서관에서 대출한 책을 반납 窓口에 반납했습니다. → (   )

급수 유형

5 다음 뜻에 맞는 한자어를 보기에서 찾아 그 번호를 쓰세요.

보기

① 同窓 ② 學窓 ③ 入口 ④ 食口

(1) 들어가는 통로 → (   )

(2) 공부하는 교실이나 학교를 이르는 말 → (   )

급수 유형

6 다음 문장에 어울리는 한자어가 되도록 [ ] 안에 알맞은 한자를 보기에서 찾아 그 번호를 쓰세요.

보기

① 口 ② 學 ③ 窓 ④ 入

(1) 어머니는 가끔 同[ ] 모임에 나가십니다. → (   )

(2) 우리나라는 농업 人[ ]가 갈수록 줄어들고 있습니다. → (   )

堂 室

집 당　　집 실

다음 글을 읽고, 오늘 배울 한자를 확인해 보세요.

오늘 배울 한자

堂 室

집 당　　집 실

엄마, 아빠의 결혼기념일을 맞아
근사한 당실(堂室) 느낌의 식당(堂)을 예약했습니다.
어떤 자리가 명당(堂)인지 인터넷에 검색을 해봤더니
실(室)외에 있는 자리가 경치가 좋고 예쁘다고 해요.
사진을 보니 엄마, 아빠를
당당(堂堂)하게 모시고 갈 수 있겠어요.
내가 예약한 자리, 많이 좋아하시겠죠?

공부한 날 月 日

연하게 쓰인 한자를 따라 써 본 후, 빈칸에 바르게 쓰세요.

집 당

높이 쌓아 올린 흙 위에 세운 집을 표현한 글자로, **집**, **사랑채**를 뜻해요.

QR을 보며 따라 써요!

堂	堂	堂	堂	堂	堂
집 당	집 당	집 당	집 당	집 당	집 당

집 실

집에 이르러서 휴식을 취하는 모습을 나타낸 글자로, **집**을 뜻해요.

QR을 보며 따라 써요!

室	室	室	室	室	室
집 실	집 실	집 실	집 실	집 실	집 실

2주

4일
일상생활 한자

堂 집 당 | 室 집 실

한자어를 익혀요

내일 두 분의 결혼기념일을 맞아서 제가 근사한 식당(食堂)을 예약해 놨어요!
정말?

그럼요! 게다가 명당(明堂)자리로 예약했다고요!
저 당당(堂堂)한 태도를 보니 정말 멋진 곳일 것 같은데요?

다음날
와, 멋진 당실(堂室) 느낌의 식당이네.
짜잔! 바로 여기예요.

여기가 예약하신 자리입니다.
쌔앵~

달이야, 명당을 예약했다더니…….
오늘 정말 추운데, 실내(室內)가 아니라 실외(室外) 자리를 예약한 거야?
오들~
오들~

헤헤, 죄송해요. 이 자리가 겨울엔 명당이 아닌가 봐요.
휘잉~
삐질

한자어 활용

'堂(집 당)'과 '室(집 실)'이 들어간 한자어를 알아봅시다.

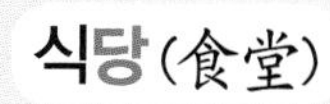

뜻 음식을 만들어 손님들에게 파는 가게

뜻 한 울타리 안에 있는 여러 채의 집과 방

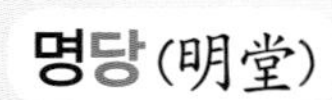

뜻 어떤 일에 썩 좋은 자리

실내(室內)

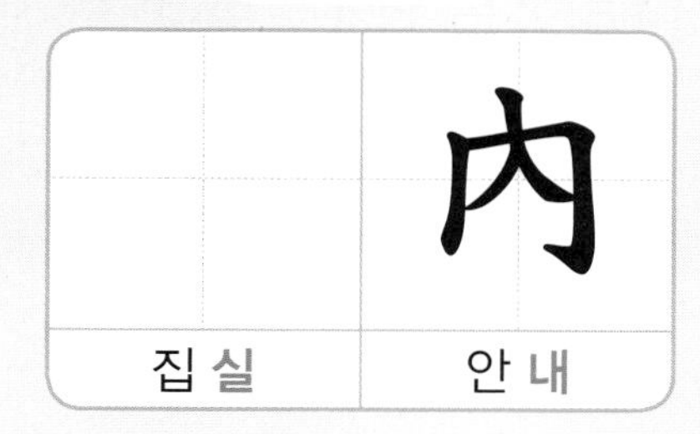

뜻 방이나 건물 등의 안

당당(堂堂)

'堂'은 '당당하다'라는 뜻도 가지고 있어요.

뜻 남 앞에서 내세울 만큼 떳떳한 모습이나 태도

실외(室外)

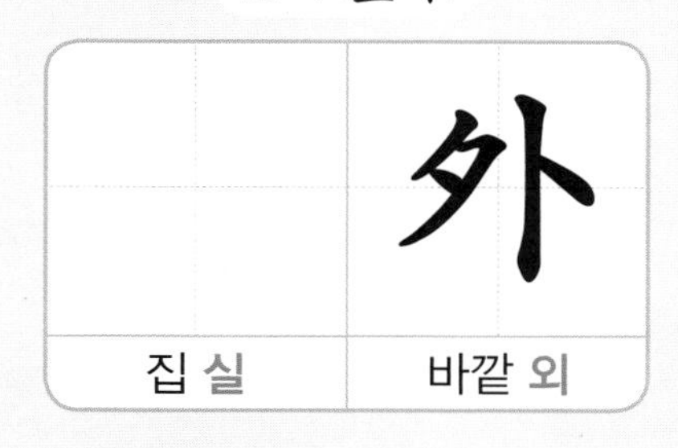

뜻 방이나 건물 등의 밖

4일
일상생활 한자

堂 집 당 | 室 집 실

기초 실력을 키워요

한자 확인

1 다음 한자의 뜻과 음(소리)으로 알맞은 것을 찾아 선으로 이으세요.

堂 •	• 집 실
室 •	• 집 당

어휘 확인

2 그림 속 내용이 맞으면 '예', 틀리면 '아니요'에 ○표 하세요.

'明堂'은 '명당'
이라고 읽습니다.
예
아니요

'室外'는 '방이나
건물 등의 안'이라
는 뜻입니다.
예
아니요

어휘 확인

3 다음 ☐에 들어갈 한자로 알맞은 것을 찾아 ✓표 하세요.

○○ 식당

그 食☐은 항상 손님으로 붐빕니다.

☐ 室　　☐ 堂

급수 유형

4 다음 한자의 뜻과 음(소리)을 쓰세요.

보기

口 → 입 구

(1) 堂 → (   )

(2) 室 → (   )

급수 유형

5 다음 뜻에 맞는 한자어를 보기에서 찾아 그 번호를 쓰세요.

보기

① 室外 ② 堂室 ③ 明堂 ④ 堂堂

(1) 어떤 일에 썩 좋은 자리 → (   )

(2) 남 앞에서 내세울 만큼 떳떳한 모습이나 태도 → (   )

급수 유형

6 다음 밑줄 친 한자어를 한자로 쓰세요.

- 겨울에는 날씨가 추워서 실외에 머무는 시간이 적습니다. → (   )

車 線

수레 거/차　　줄 선

다음 글을 읽고, 오늘 배울 한자를 확인해 보세요.

어른이 되면 가장 먼저 하고 싶은 일은 자동차(車) 운전이에요. 직접 운전해서 자유롭게 여행도 다니고, 맛있는 것도 먹으러 가면 얼마나 좋을까요? 아빠가 엄마에게 운전을 가르쳐 주시면서 하셨던 말씀인 차선(車線) 꼭 지키기, 차(車)내에서 휴대 전화 사용하지 않기 등은 나도 꼭 기억해 놓아야겠어요.

연하게 쓰인 한자를 따라 써 본 후, 빈칸에 바르게 쓰세요.

공부한 날 月 日

수레 거/차

수레의 모양을 본뜬 글자로, 수레나 수레바퀴라는 뜻을 가지고 있어요.

QR을 보며 따라 써요!

車	車	車	車	車	車
수레 거/차	수레 거/차	수레 거/차	수레 거/차	수레 거/차	수레 거/차

줄 선

끊임없이 흘러내리는 물처럼 길게 이어져 있는 실을 나타낸 글자로, 줄, 실을 뜻해요.

QR을 보며 따라 써요!

線	線	線	線	線	線
줄 선	줄 선	줄 선	줄 선	줄 선	줄 선

2주

5일
일상생활 한자
車 수레 거/차 | 線 줄 선
한자어를 익혀요

엄마, 오늘 드디어 혼자 자동차(自動車) 운전하시는 거예요?
응, 조금 무섭긴 하지만 잘하고 올게!

몇 가지 말할 게 있어요. 우선 차선(車線)은 꼭 지키기!

차내(車內)에서 휴대 전화 사용은 금지예요.

하차(下車)할 때는 항상 주위를 살피고요!
네, 조심해서 다녀올게요!

따르릉~
여보세요. 운전은 잘하고 있나요?
좌회전, 우회전이 어려워서 제 모든 동선(動線)이 직선(直線)이 되었어요. 1시간째 직진만 하다가 지금 휴게소에 겨우 들어왔는데 어쩌죠?
아이고!
고속도로휴게소
휴게소
화장실→

한자어 활용

'車(수레 거/차)'와 '線(줄 선)'이 들어간 한자어를 알아봅시다.

수레 거/차

線 줄 선

자동차(自動車)

뜻 동력을 이용하여 땅 위를 움직이도록 만든 차

차선(車線)

뜻 자동차 도로에 주행 방향을 따라 일정한 간격으로 그어 놓은 선

차내(車內)

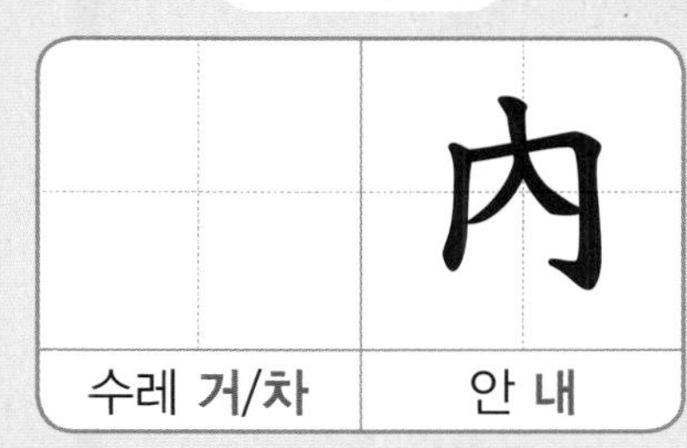

뜻 열차, 자동차, 전차 등의 안

동선(動線)

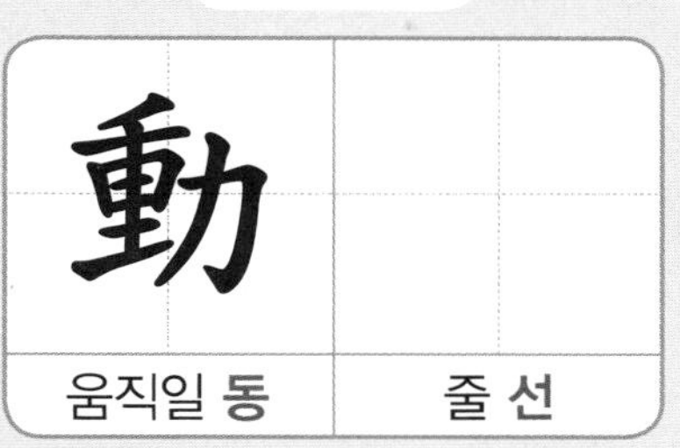

뜻 사람이나 물건이 움직이는 자취나 방향을 나타내는 선

하차(下車)

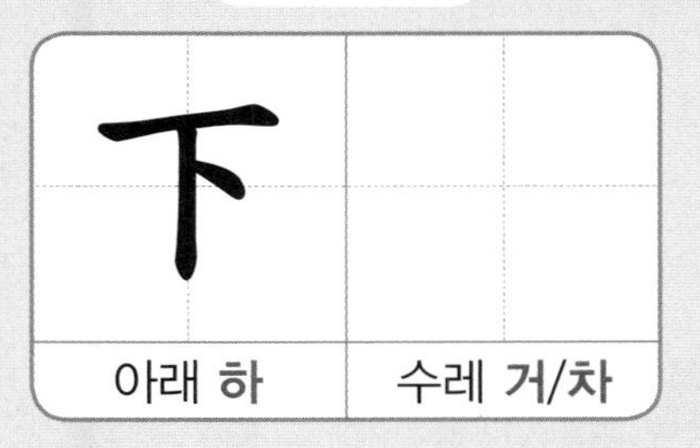

뜻 타고 있던 차에서 내림.

직선(直線)

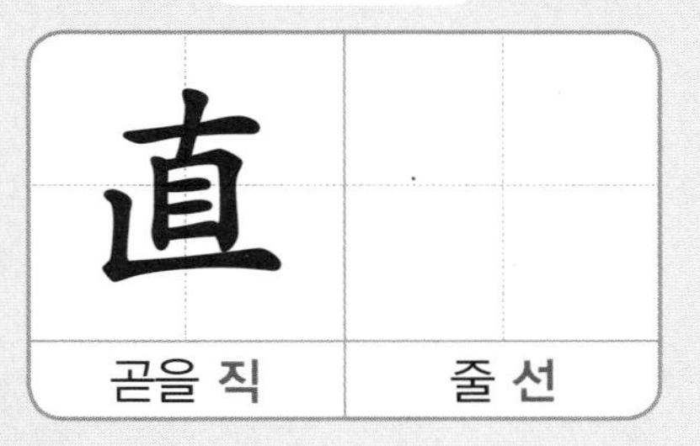

뜻 꺾이거나 굽은 데가 없는 곧은 선

車 수레 거/차 | 線 줄 선 기초 실력을 키워요

1 다음 그림이 나타내는 한자를 찾아 선으로 이으세요.

 •

• 線

• 車

어휘 확인

2 ◌에 알맞은 글자를 넣어 낱말을 만드세요.

열차, 자동차, 전차 등의 안

 내

꺾이거나 굽은 데가 없는 곧은 선

 선

어휘 확인

3 다음 □에 들어갈 한자로 알맞은 것을 찾아 ∨표 하세요.

버스에서 下□할 때는 양옆을 잘 보아야 합니다.

급수 유형

4 다음 밑줄 친 한자어의 독음을 쓰세요.

보기
堂室 → 당실

(1) 휴가철에는 自動車로 고속 도로가 매우 붐빕니다. → (   )

(2) 인도를 설치할 때는 보행자의 動線을 고려해야 합니다. → (   )

급수 유형

5 다음 뜻에 맞는 한자어를 보기 에서 찾아 그 번호를 쓰세요.

보기
① 下車　② 直線　③ 車線　④ 自動車

(1) 타고 있던 차에서 내림. → (   )

(2) 자동차 도로에 주행 방향을 따라 일정한 간격으로 그어 놓은 선 → (   )

급수 유형

6 다음 문장에 어울리는 한자어가 되도록 [ ] 안에 알맞은 한자를 보기 에서 찾아 그 번호를 쓰세요.

보기
① 内　② 車　③ 動　④ 線

(1) [ ]内에서는 금연입니다. → (   )

(2) 그 도로는 直[ ]으로 뻗어 있습니다. → (   )

2주 누구나 100점 TEST

1 다음 한자의 뜻과 관계있는 그림을 찾아 선으로 이으세요.

食 •

2 다음 뜻에 해당하는 낱말을 찾아 그 번호를 쓰세요. (   )

우리나라 고유의 음식이나 식사

① 식수 ② 외식 ③ 음용
④ 한식 ⑤ 음식

3 다음 그림이 나타내는 한자어를 찾아 ○표 하세요.

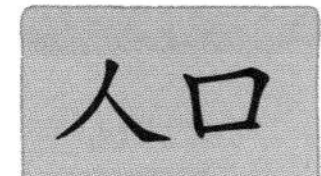

人口

窓口

4 다음 □ 안에 들어갈 한자를 보기에서 찾아 그 번호를 쓰세요.

보기
① 外 ② 内 ③ 室

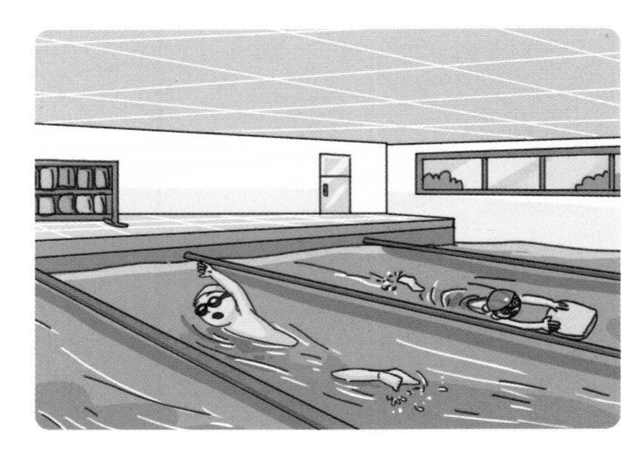

● 겨울에는 실□ 수영장이 인기가 좋습니다. → (   )

5 한자의 뜻과 음(소리)이 바르게 쓰인 카드를 모두 찾아 ∨표 하세요.

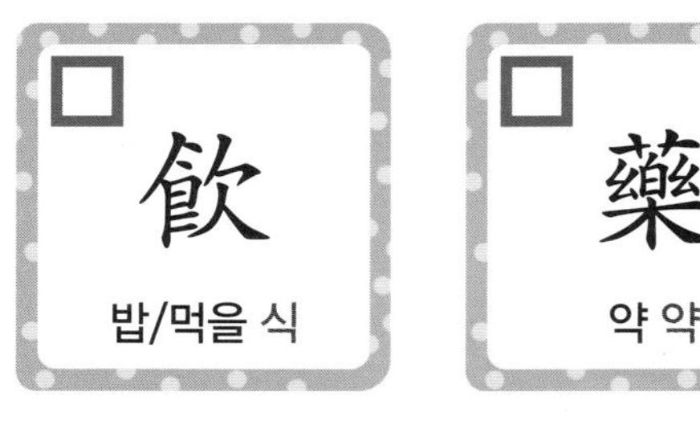

□ 飮 밥/먹을 식

□ 藥 약 약

□ 果 실과 과

□ 車 줄 선

◐ 정답 10쪽

맞은 개수 /10개

6 다음 한자의 뜻을 보기에서 찾아 그 번호를 쓰세요.

보기
① 창 ② 줄 ③ 약

(1) 藥 → (   )

(2) 窓 → (   )

7 다음 밑줄 친 말에 해당하는 한자를 보기에서 찾아 그 번호를 쓰세요.

보기
① 食 ② 飮 ③ 口

● 저는 빵에 우유를 마시는 것을 좋아합니다. → (   )

8 다음 밑줄 친 한자의 음(소리)을 쓰세요.

날씨가 좋을 때는 (1) 실外에 자리가 있는 (2) 식堂에 사람이 붐빕니다.

(1) → (   )

(2) → (   )

9 다음 밑줄 친 낱말에 해당하는 한자어를 보기에서 찾아 그 번호를 쓰세요.

보기
① 學窓 ② 同窓 ③ 窓口

● 어머니는 오랜만에 동창 모임에 나가 이야기를 나누셨습니다.

→ (   )

10 다음 십자말풀이를 보고 □ 안에 들어갈 알맞은 한자를 보기에서 찾아 그 번호를 쓰세요. (   )

보기
① 車 ② 室 ③ 堂

식	□
	실

→ 식□: 음식을 만들어 손님들에게 파는 가게

↓ □실: 한 울타리 안에 있는 여러 채의 집과 방

2주

2주
특강
생각을 키워요 1
창의·융합·코딩

국어+한문 **다음 만화를 읽고, 성어의 뜻을 생각해 보세요.**

因果應報

인할 **인** 실과 **과** 응할 **응** 갚을 알릴 **보**

2주

◆ **성어의 뜻을 살펴보며 빈칸에 알맞은 한자를 채우세요.**

→ '원인과 결과는 서로 물고 물린다.'라는 뜻으로, 좋은 일에는 좋은 결과가, 나쁜 일에는 나쁜 결과가 따르는 것을 이르는 말

2주
특강
창의·융합·코딩
생각을 키워요 2

2주 특강 생각을 키워요 ②

코딩+한문 한자 명령어에 따라 초밥을 만드는 로봇이 있습니다. 다음 한자 명령어를 잘 보고, 물음에 답하세요.

명령어
藥
새우 초밥
飮
달걀 초밥
窓
날치알 초밥
堂
장어 초밥
食
연어 초밥
果
문어 초밥

◐ 정답 11쪽

1 다음 메뉴를 순서대로 만들려고 할 때, 입력해야 할 한자 명령어 의 음(소리)을 쓰세요.

답

2 다음 뜻에 해당하는 한자 명령어 를 입력했을 때 먹게 될 초밥을 모두 찾아 ∨표 하세요.

음식을 만들어 손님들에게 파는 가게

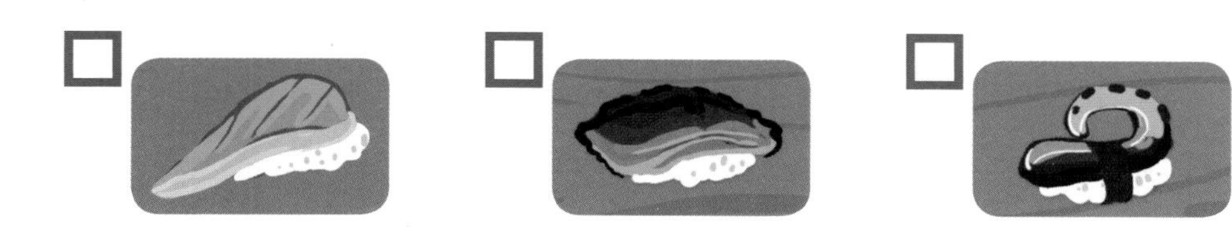

3 ○●의 순서를 바꾸어 ●○로 나열하고자 할 때 ◡◠ 라는 기호를 씁니다. 다음 규칙 에 맞게 한자 명령어 를 나열하려고 할 때, 잘못된 부분을 찾아 ◡◠표 하세요.

규칙

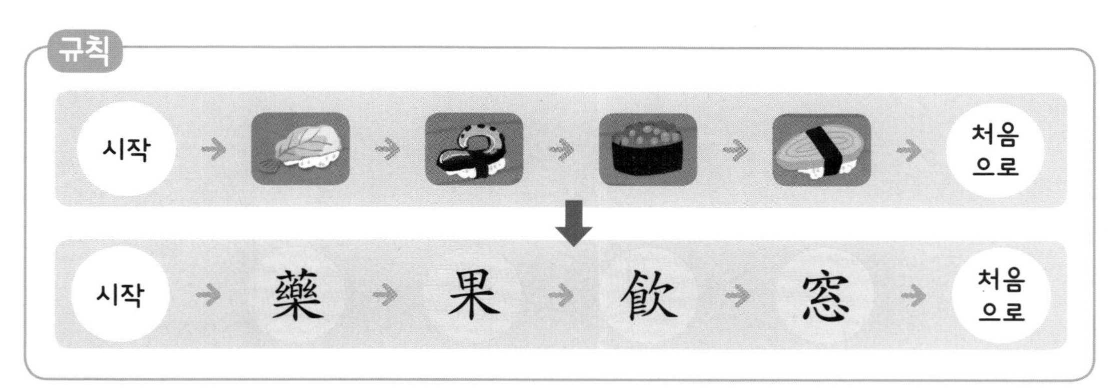

📖 안전+한문 다음은 일상생활에서의 안전 수칙을 나타낸 것입니다. 다음을 읽고, 물음에 답하세요.

일상생활 안전 수칙

1. ㉠ 飮食을 먹기 전에는 손을 꼼꼼히 씻어요.

2. ㉡ 藥은 정해진 시간에 적당한 양을 먹어요.

3. ㉢ 窓문을 규칙적으로 열어 환기시켜요.

4. 적정 ㉣ 실내 온도와 습도를 유지해요.

5. ㉤ 차에서 내릴 때는 자전거나 오토바이 등을 주의해서 내려요.

◐ 정답 11쪽

1 ㉠에 해당하는 한자어의 음(소리)을 골라 ○표 하세요.

음식 식당 식수

2 ㉡과 ㉢에 해당하는 아이콘을 찾아 선으로 이으세요.

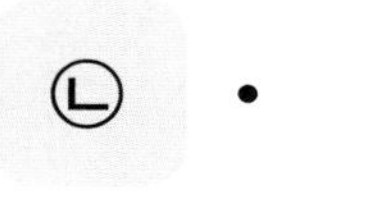
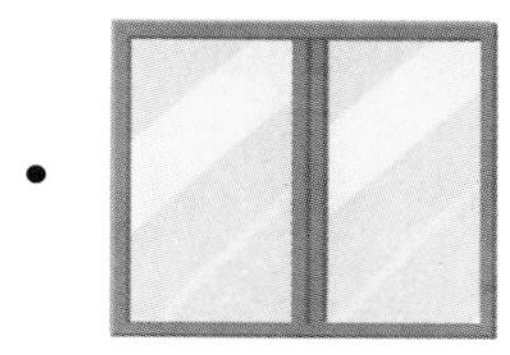

㉢ •
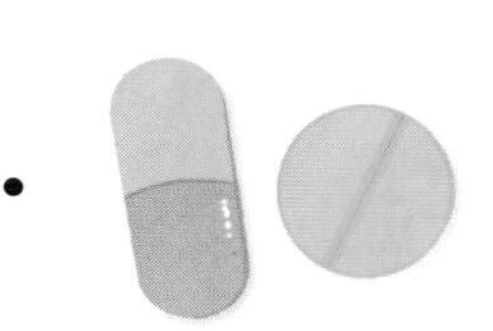

3 ㉣과 ㉤에 해당하는 한자를 쓰세요.

(1) ㉣ 답

(2) ㉤ 답

3주에는 무엇을 공부할까? ❶

코스 안내도

달리기 대회 이동 경로 및 주의 사항 안내합니다.

❶ 가구 工場
❷ 農業 박물관
❸ 市外버스 터미널
❹ △△ 高等학교

*반드시 경로 순서대로 이동해야 함.
*체력 放電을 막기 위한 음료 제공
* 10:00~11:00 공군 훈련 예정이니 참고 바람.

이번 주에는 어떤 한자를 공부할까?

1일 市 저자 시 | 外 바깥 외
2일 工 장인 공 | 場 마당 장
3일 農 농사 농 | 業 업 업
4일 放 놓을 방 | 電 번개 전
5일 高 높을 고 | 等 무리 등

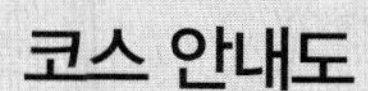

코스 안내도

달리기 대회 이동 경로 및 주의 사항 안내합니다.

❶ 가구 공장
❷ 농업 박물관
❸ 시외버스 터미널
❹ △△ 고등학교

* 반드시 경로 순서대로 이동해야 함.
* 체력 방전을 막기 위한 음료 제공
* 10:00~11:00 공군 훈련 예정이니 참고 바람.

시외버스 터미널
△△고등학교
여기가 3번 위치니까 저 앞에서 오른쪽 길로 가면 되겠네요.
아하! 이렇게 가면 된다는 말이군요. 고맙습니다. 탐정님!

휘이이이잉
그런데 이게 무슨 소리지?

전쟁이 났나 봐! 걸음아 나 살려라!
시외버스 터미널
△△고등학교
달리기 실력만큼은 일등인데!

쌩
시외버스 터미널
△△고등학교
오늘 공군 훈련이 있을 예정이라고 했는데…….
엇! 근데 그 방향이 아닌데!!!

3주

3주 3주에는 무엇을 공부할까? ②

이번 주에 배울 한자가 마라톤 코스 속에 있어요. 보기 속 한자를 순서대로 따라가 마라토너가 친구들과 만날 수 있게 해 주세요.

◐ 정답 12쪽

보기

市 저자 **시** → 外 바깥 **외** → 工 장인 **공** → 場 마당 **장** → 農 농사 **농** → 業 업 **업** → 放 놓을 **방** → 電 번개 **전** → 高 높을 **고** → 等 무리 **등**

3주

市 外

저자 시　　바깥 외

다음 글을 읽고, 오늘 배울 한자를 확인해 보세요.

주말에 가족들과 함께
시외(市外)에 있는 할아버지 댁에 갔습니다.
가는 길에 시(市)장에 들렀는데,
시장 바깥[外]까지 여러 가지 물건들과 사람들로 북적였어요.
예전에 동네에서 열렸던 벼룩시장을 보는 느낌이 들었습니다.

연하게 쓰인 한자를 따라 써 본 후, 빈칸에 바르게 쓰세요.

공부한 날 月 日

저자 시

많은 사람이 모여 물건을 사고파는 장소를 나타낸 글자로, **시장**을 뜻해요.

QR을 보며 따라 써요!

市	市	市	市	市	市
저자 시	저자 시	저자 시	저자 시	저자 시	저자 시

바깥 외

밖으로 나가 밤하늘을 보며 운세를 알아보던 데서 **바깥**을 뜻해요.

QR을 보며 따라 써요!

外	外	外	外	外	外
바깥 외	바깥 외	바깥 외	바깥 외	바깥 외	바깥 외

3주

1일
일상생활 한자

市 저자 시 | 外 바깥 외

한자어를 익혀요

핸드폰
주말에
벼룩시장이 열린대.
드디어
벼룩시장이 열리네.
기대된다!

시외(市外)에 사는 사람도
신청할 수 있도록 오늘부터
전시(全市)에 공지한대.
그럼 나도
참여해 볼까?

네가 판매할
만한 게 있어?
집에 있는 책을
다 팔거야. 넌?
책 사 달라고
하더니 하나도
안 읽었네!

난 외가(外家)의 외숙모가
외국인(外國人)인데, 외서(外書)를
많이 가지고 계신대. 그걸 판매할
예정이라 도와드리려고.

아, 그래?
그럼 내가 제일 먼저 가서
개시(開市)를 해야겠군.

너 좀 전에 집에 있는
읽지도 않은 책 다 판다고
하지 않았니? 그 책을 먼저
읽는 건 어때?
헤헤~

한자어 활용

'市(저자 시)'와 '外(바깥 외)'가 들어간 한자어를 알아봅시다.

市
저자 시
'市'는 행정 구역의 단위를 나타내기도 해요.

外
바깥 외

시외(市外)

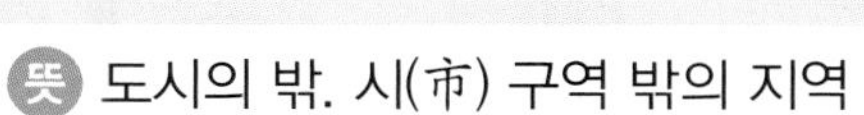

市	外
저자 시	바깥 외

뜻 도시의 밖. 시(市) 구역 밖의 지역

외가(外家)

外	家
바깥 외	집 가

뜻 어머니의 친정

전시(全市)

全	市
온전 전	저자 시

뜻 시(市)의 전체

외국인(外國人)

外	國	人
바깥 외	나라 국	사람 인

뜻 다른 나라 사람

개시(開市)

開	市
열 개	저자 시

뜻 시장을 처음 열어 물건의 매매를 시작함. 가게 문을 연 뒤 처음으로 이루어지는 거래

외서(外書)

外	書
바깥 외	글 서

뜻 외국 글로 된 서적

市 저자 시 | 外 바깥 외

기초 실력을 키워요

1 다음에서 '市'의 뜻과 음(소리)을 찾아 ○표 하세요.

바깥 **외**

저자 **시**

사람 **인**

어휘 확인

2 다음 그림이 나타내는 낱말을 찾아 선으로 이으세요.

시장을 처음 열어 물건의 매매를 시작함. 가게 문을 연 뒤 처음으로 이루어지는 거래

• 개시

• 전시

어휘 확인

3 다음에서 '全市'의 뜻을 바르게 설명한 것에 ○표 하세요.

시(市)의 전체

외국 글로 된 서적

장사를 직업으로 하는 사람

급수 유형

4 다음 한자의 뜻과 음(소리)을 쓰세요.

보기

車 → 수레 거/차

(1) 市 → (   )

(2) 外 → (   )

급수 유형

5 다음 문장에 어울리는 한자어가 되도록 [   ] 안에 알맞은 한자를 보기에서 찾아 그 번호를 쓰세요.

보기

① 外　② 書　③ 市　④ 開

(1) 방학에 [   ]家에 가서 외할머니를 뵈었습니다. → (   )

(2) 시의 외곽 초등학교에서 처음 발견된 장티푸스는 닷새 만에 全[   ]에 퍼졌습니다.

→ (   )

급수 유형

6 다음 뜻에 맞는 한자어를 보기에서 찾아 그 번호를 쓰세요.

보기

① 全市　② 市外　③ 外家　④ 開市

(1) 어머니의 친정 → (   )

(2) 도시의 밖. 시(市) 구역 밖의 지역 → (   )

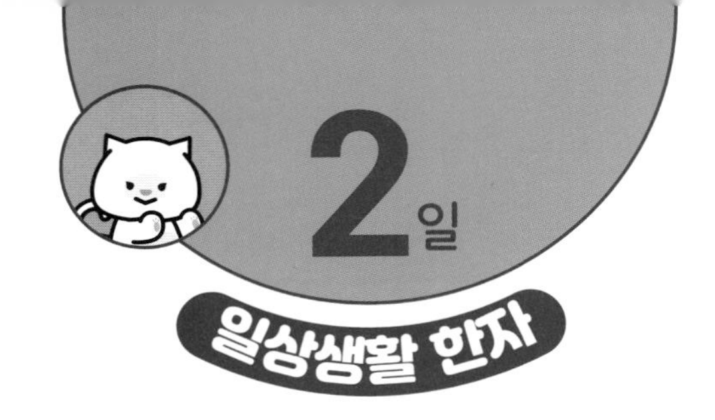

工 場

장인 공　　마당 장

다음 글을 읽고, 오늘 배울 한자를 확인해 보세요.

부모님과 함께 자동차 공장(工場)에 견학을 다녀왔습니다.
자동차를 만드는 장인[工]들의 손길이 바쁘게 움직이면서
자동차가 형태를 갖추어 가는 모습이 신기했어요.
그리고 넓은 마당[場]에 있는 자동차 모형 앞에서 사진도 찍었어요.
나중에 커서 자동차를 만드는 장인[工]이 되고 싶다는 꿈이 생겼습니다.

오늘 배울 한자

工 場

장인 공　　마당 장

연하게 쓰인 한자를 따라 써 본 후, 빈칸에 바르게 쓰세요.

공부한 날 月 日

장인 공

땅을 다질 때 사용하던 도구를 본뜬 글자로, 도구를 잘 다루는 **장인**을 뜻해요.

QR을 보며 따라 써요!

工	工	工	工	工	工
장인 공	장인 공	장인 공	장인 공	장인 공	장인 공

마당 장

햇빛이 넓은 마당을 비치고 있는 모습을 나타낸 글자로, **마당**을 뜻해요.

QR을 보며 따라 써요!

場	場	場	場	場	場
마당 장	마당 장	마당 장	마당 장	마당 장	마당 장

3주

2일
일상생활 한자

工 장인 공 | 場 마당 장

한자어를 익혀요

체험 학습할 장소(場所)를 정해야 하는데, 어디가 좋을까?
○○마트

방송에서 인명 구조 요원이 물에 빠진 사람 구하는 장면(場面)을 봤는데 진짜 멋있더라. 인명 구조를 체험하고 싶어.
그건 수영을 아주 잘해야 가능하지. 위험할 것 같아.

난 도장(道場)에 가서 격투기를 체험하고 싶어.
얍
헉!

아니면 난 손재주가 좋으니 정성이 깃든 도자기 수공(手工) 제품을 만들어 가족에게 선물하면 딱 좋겠는데!
쳇!

그럼 손재주가 더! 더! 더! 더! 좋은 난 자동차 공장(工場)에서 봤던 자동차를 나무로 공작(工作)하면 딱 좋겠는데!
윽~

너랑 나랑은 취향이 맞지 않아. 각자 정하는 거로 하자.
베~

'工(장인 공)'과 '場(마당 장)'이 들어간 한자어를 알아봅시다.

場 마당 장

뜻 손으로 하는 비교적 간단한 공예

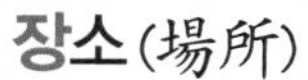

뜻 어떤 일이 이루어지거나 일어나는 곳

공장(工場)

뜻 원료나 재료를 가공하여 물건을 만들어 내는 설비를 갖춘 곳

장면(場面)

뜻 어떤 장소에서 겉으로 드러난 면이나 벌어진 광경

공작(工作)

뜻 물건을 만듦.

도장(道場)

뜻 무예를 닦는 곳

3주

工 장인 공 | 場 마당 장 기초 실력을 키워요

한자 확인

1 다음 한자의 뜻과 음(소리)으로 알맞은 것을 찾아 선으로 이으세요.

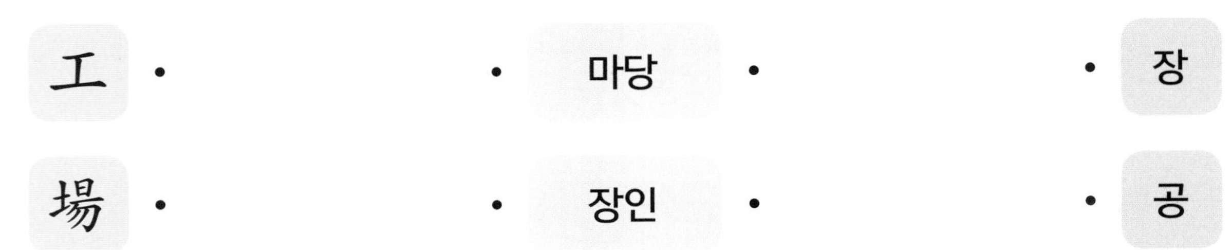

어휘 확인

2 그림 속 내용이 맞으면 '예', 틀리면 '아니요'에 ○표 하세요.

'手工'은 '나무를 다루어서 물건을 만드는 일'이라는 뜻입니다.
예
아니요

'場面'은 '장면'이라고 읽습니다.
예
아니요

어휘 확인

3 다음 밑줄 친 한자어의 음(소리)을 쓰세요.

<u>道場</u>에서 태권도 기술을 익힙니다.

→ (   )

급수 유형

4 다음 한자의 뜻과 음(소리)을 쓰세요.

보기

外 → 바깥 외

(1) 場 → (　　　　　　)

(2) 工 → (　　　　　　)

급수 유형

5 다음 밑줄 친 한자어의 독음을 쓰세요.

보기

市外 → 시외

(1) 이것은 사람의 손 정성이 깃든 手工 제품입니다. → (　　　　　　)

(2) 행인이 사고 場面을 목격하고 경찰에 신고했습니다. → (　　　　　　)

급수 유형

6 다음 뜻에 맞는 한자어를 보기에서 찾아 그 번호를 쓰세요.

보기

① 工作　② 道場　③ 場所　④ 工場

(1) 물건을 만듦. → (　　　　　　)

(2) 어떤 일이 이루어지거나 일어나는 곳 → (　　　　　　)

3일
일상생활 한자

農 業

농사 농 업 업

다음 글을 읽고, 오늘 배울 한자를 확인해 보세요.

우리 할아버지는 친환경 방법으로 농사[農]를 지으십니다[業].
어제 직접 기르신[農] 딸기를 보내주셨는데, 생긴 건 울퉁불퉁하지만
지금껏 먹어 본 딸기 중에 최고로 맛있었어요.
친환경 농업(農業)은 농약이나 비료의 사용을 줄여서
자연 생태계를 보호하고, 우리에게 건강한 먹거리를 제공한대요.
오늘 배울 한자
農 業
농사 농 업 업

연하게 쓰인 한자를 따라 써 본 후, 빈칸에 바르게 쓰세요.

농사 농

농기구로 밭을 가는 모습을 나타낸 글자로, **농사**라는 뜻이에요.

QR을 보며 따라 써요!

農	農	農	農	農	農
농사 농	농사 농	농사 농	농사 농	농사 농	농사 농

업 업

악기를 들고 다니며 생업을 이어가던 모습을 나타낸 글자로, **직업**을 뜻해요.

QR을 보며 따라 써요!

業	業	業	業	業	業
업 업	업 업	업 업	업 업	업 업	업 업

3일
일상생활 한자

農 농사 농 | 業 업 업

한자어를 익혀요

음! 역시 농촌(農村)은 공기가 달라요.
우리 가업(家業)을 이어받을 꼬마 농부(農夫)가 왔구나.
할아버지!

제가 일주일 동안 농사(農事)일 도와 드릴게요.
오늘은 딸기 말고 주업(主業)인 벼농사를 지으러 가 볼까?

헉! 오리가 벼를 다 망가뜨리고 있어요. 어떻게 하죠?
이게 친환경 오리 농법이란다.

논 속의 잡초는 오리가 먹게 하고, 오리의 배설물은 비료로 활용하는 방법인데, 농약과 화학 비료 사용량을 줄여 주니 친환경 쌀을 생산할 수 있단다.

벼농사가 끝나면 오리는 어떻게 해요?
오리고기로 먹으면 되지.

저는 농업(農業)보다는 오리고기를 맛있게 먹는 쪽으로 가업을 바꿔야 겠어요.
지글~
지글~

'農(농사 농)'과 '業(업 업)'이 들어간 한자어를 알아봅시다.

농촌(農村)

뜻 주민의 대부분이 농업에 종사하는 마을이나 지역

가업(家業)

뜻 대대로 물려받는 집안의 생업

농부(農夫)

뜻 농사짓는 일을 직업으로 하는 사람

주업(主業)

뜻 주가 되는 직업

농사(農事)

뜻 곡류, 과채류의 씨나 모종을 심어 기르고 거두는 일

농업(農業)

뜻 땅을 이용하여 식물을 가꾸거나, 동물을 기르는 산업

3주

3일
일상생활 한자

農 농사 농 | 業 업 업

기초 실력을 키워요

한자 확인

1 다음 말풍선 속 밑줄 친 뜻에 해당하는 한자를 찾아 V표 하세요.

최근 농약 사용을 줄이고 친환경 방법으로 농사를 짓는 농가가 늘어나고 있습니다.

農

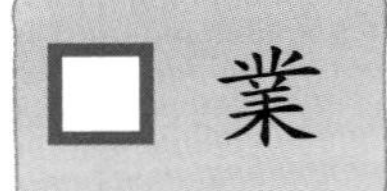
業

어휘 확인

2 다음에서 '주민의 대부분이 농업에 종사하는 마을이나 지역'을 뜻하는 한자어를 찾아 ○표 하세요.

家業

農村

農業

어휘 확인

3 힌트를 보고 빈칸에 들어갈 알맞은 한자를 쓰세요.

家
農

힌트
- 農□: 땅을 이용하여 식물을 가꾸거나, 동물을 기르는 산업
- 家□: 대대로 물려받는 집안의 생업

급수 유형

4 다음 한자의 뜻과 음(소리)을 쓰세요.

보기

工 → 장인 공

(1) 農 → (   )

(2) 業 → (   )

급수 유형

5 다음 문장에 어울리는 한자어가 되도록 [ ] 안에 알맞은 한자를 보기 에서 찾아 그 번호를 쓰세요.

보기

① 家　② 業　③ 農　④ 事

(1) [ ]夫에겐 땅이 생명입니다. → (   )

(2) 이 동네 사람들은 농사를 짓기는 하지만 主[ ]은 따로 갖고 있습니다.
→ (   )

급수 유형

6 다음 뜻에 맞는 한자어를 보기 에서 찾아 그 번호를 쓰세요.

보기

① 農業　② 農村　③ 家業　④ 主業

(1) 대대로 물려받는 집안의 생업 → (   )

(2) 주민의 대부분이 농업에 종사하는 마을이나 지역 → (   )

放 電

놓을 방　　번개 전

다음 글을 읽고, 오늘 배울 한자를 확인해 보세요.

아침에 알람 소리를 듣지 못해서 늦잠을 잤어요.
어제 잠들기 전에 휴대 전화에 맞춰 놓은 알람만 믿고
마음 놓고[放] 잠을 자다가 엄마 목소리에 잠을 깼어요.
번개[電]에 맞은 듯 정신이 번쩍 들었어요.
배터리가 방전(放電)된 휴대 전화가 원망스러웠습니다.

오늘 배울 한자

放 電

놓을 방　　번개 전

연하게 쓰인 한자를 따라 써 본 후, 빈칸에 바르게 쓰세요.

공부한 날 月 日

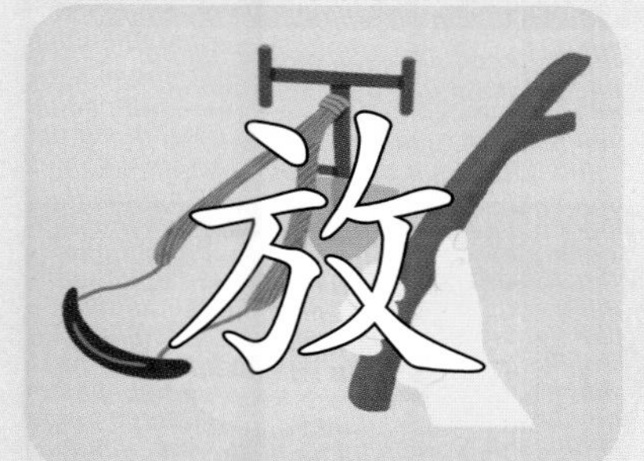

놓을 방

몽둥이로 내쳐서 보내는 것을 나타낸 글자로, 놓다, 내쫓다, 그만두다라는 뜻이에요.

QR을 보며 따라 써요!

放	放	放	放	放	放
놓을 방	놓을 방	놓을 방	놓을 방	놓을 방	놓을 방

번개 전

번개가 칠 때 구름 사이로 나타나는 번갯불의 모양을 그린 글자로, 번개, 전기를 뜻해요.

QR을 보며 따라 써요!

電	電	電	電	電	電
번개 전	번개 전	번개 전	번개 전	번개 전	번개 전

3주

4일
일상생활 한자

放 놓을 방 | 電 번개 전

한자어를 익혀요

별이야!
벌써 자니?
딸기 먹자.

전구(電球)를 교체해야겠는데요?
깜빡 깜빡
교체하려면 우선 두꺼비집을 내려야겠군.
악! 너무 깜깜해요.
캄 캄~
거실로 조심해서 나오렴.

전선(電線) 부위를 잘 비춰봐.
전기가 나가니까 불편한 게 한두 개가 아니네.

환하니까 모든 게 잘 보여요.
우리나라에 전력(電力) 공급이 갑자기 끊긴다고 생각해 봐.
생각만 해도 무시무시해요.
짝
짝

그러니까 평소에 방심(放心)하지 말고 전기를 효율적으로 사용해야겠지?
네! 저도 어제처럼 배터리가 방전(放電)되지 않게 충전을 하고 있답니다!
척!

저녁을 너무 많이 먹었나……. 방심을 했더니 나도 모르게 그만!
뿌웅
앗! 독가스 방출(放出)이다.

한자어 활용

'放(놓을 방)'과 '電(번개 전)'이 들어간 한자어를 알아봅시다.

電 번개 전

뜻 마음을 다잡지 않고 풀어 놓아 버림.

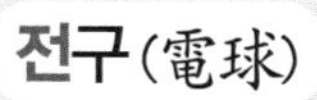

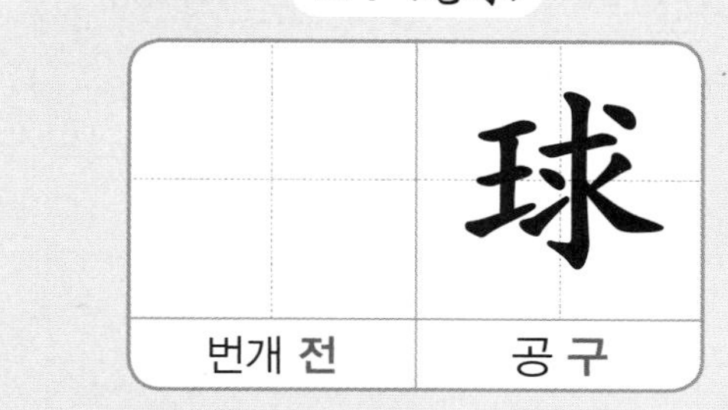

뜻 전류를 통하여 빛을 내는 기구

방전(放電)

뜻 전기를 띤 물체가 전기를 잃는 현상

전선(電線)

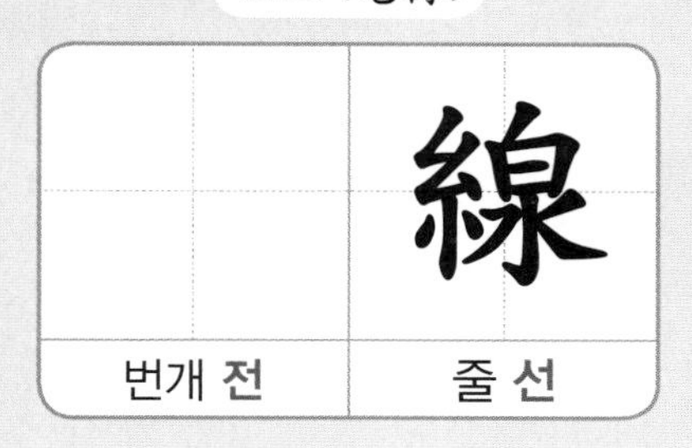

뜻 전류가 흐르도록 하는 도체로서 쓰는 선

방출(放出)

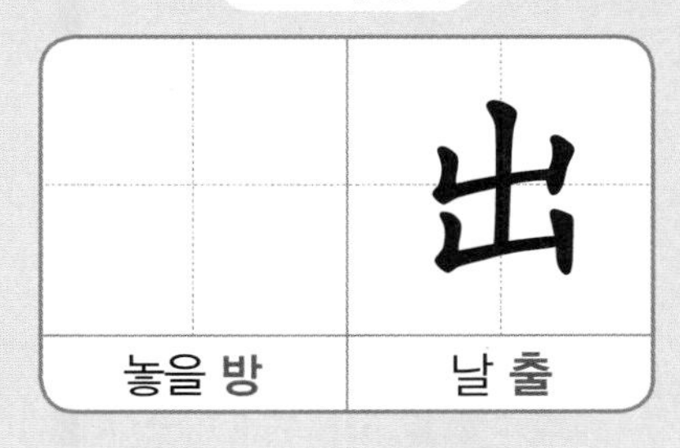

뜻 비축해 놓은 것을 내놓음.

전력(電力)

뜻 전류가 단위 시간에 하는 일

3주

放 놓을 방 | 電 번개 전

기초 실력을 키워요

1 그림 속 한자의 뜻과 음(소리)으로 알맞은 것을 찾아 ○표 하세요.

놓을 방 | 모 방

앞 전 | 번개 전

어휘 확인

2 다음 문장에 들어갈 말로 어울리는 한자어를 찾아 ○표 하세요.

성탄목에 걸린 (電球 / 戰線)은(는)
전류를 통하여 빛을 내는 기구입니다.

어휘 확인

3 다음에서 '電力'의 뜻을 바르게 설명한 것에 ○표 하세요.

전류를 통하여 빛을 내는 기구	전류가 단위 시간에 하는 일	마음을 다잡지 않고 풀어 놓아 버림.

정답 14쪽

기초 집중 연습

급수 유형

4 다음 밑줄 친 한자어의 독음을 쓰세요.

보기

農業 → 농업

(1) 적은 우리의 放心을 틈타 기습해 올지도 모릅니다. → (   )

(2) 여름철이 되자 電力 소비량이 급격히 증가했습니다. → (   )

급수 유형

5 다음 문장에 어울리는 한자어가 되도록 [ ] 안에 알맞은 한자를 보기 에서 찾아 그 번호를 쓰세요.

보기

① 放　　② 球　　③ 電　　④ 力

(1) 전기 플러그를 뽑을 때 [ ]線을 잡고 당기면 안 됩니다. → (   )

(2) 정부는 보관하고 있던 비축 물품을 급하게 [ ]出하였습니다. → (   )

급수 유형

6 다음 뜻에 맞는 한자어를 보기 에서 찾아 그 번호를 쓰세요.

보기

① 放心　　② 電線　　③ 放電　　④ 電力

(1) 전기를 띤 물체가 전기를 잃는 현상 → (   )

(2) 마음을 다잡지 않고 풀어 놓아 버림. → (   )

3주

5일
일상생활 한자

高 等

높을 고　　무리 등

다음 글을 읽고, 오늘 배울 한자를 확인해 보세요.

나는 운동 중에 농구가 제일 좋아요.
고등(高等)학생 형들처럼 농구를 잘하고 싶은데,
아직 나에게는 농구 골대가 너무 높아요[高].
하루빨리 키가 커서 형들과 같이 무리[等] 지어 농구 하고 싶어요!
오늘 배울 한자
高 等
높을 고 무리 등

연하게 쓰인 한자를 따라 써 본 후, 빈칸에 바르게 쓰세요.

공부한 날 月 日

높을 고

높게 지어진 건물의 모습을 나타낸 글자로, **높다**를 뜻해요.

QR을 보며 따라 써요!

高	高	高	高	高	高
높을 고	높을 고	높을 고	높을 고	높을 고	높을 고

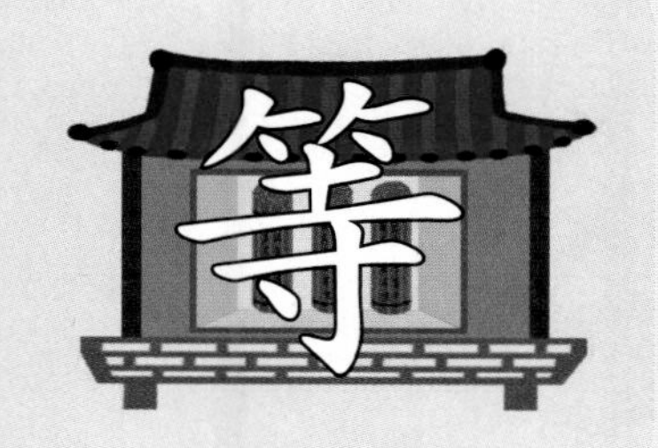

무리 등

대나무에 쓰인 글의 내용에 따라 순서대로 정리했다는 데서 **무리**를 뜻해요.

QR을 보며 따라 써요!

等	等	等	等	等	等
무리 등	무리 등	무리 등	무리 등	무리 등	무리 등

3주

5일
일상생활 한자

高 높을 고 | 等 무리 등

한자어를 익혀요

이번 학급별 농구 대회에서는 꼭 우승하고 싶어. 형은 고등(高等)학교 농구 선수니까 비법을 전수해 줄 수 있지?
당연하지.

집 근처 공원에서 연습하면 되겠다.
빨리 가자!

이렇게 손목의 스냅을 이용해서 던져야 해.
슈욱
텅!
어휴, 또 안 들어가네.

신체 능력은 모두가 동등(同等)하지 않지만, 노력은 모두에게 평등(平等)해. 네가 계속 노력한다면 안 될 일은 없어. 다시 해 볼까?
왜 난 형처럼 안 되지?
턱
헉
헉

웅! 고수(高手)님의 격려를 들으니 희망이 생기는데!

점점 실력이 느는걸! 고지(高地)가 얼마 남지 않았어! 이번 대회에서는 우승할 수 있겠어.
다 형 덕분이야! 우승해서 상품 받으면 이등분(等分) 해서 줄게.
헉
헉

한자어 활용

‘高(높을 고)’와 ‘等(무리 등)’이 들어간 한자어를 알아봅시다.

높을 고

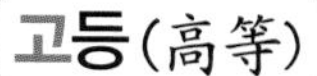

뜻 등급이나 수준, 정도 따위가 높음. 또는 그런 정도

고수(高手)

뜻 어떤 분야나 집단에서 기술이나 능력이 매우 뛰어난 사람

고지(高地)

뜻 지대가 높은 땅. 이루어야 할 목표

等

무리 등

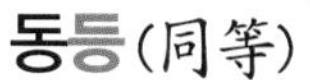

뜻 등급이나 정도가 같음.

평등(平等)

뜻 권리, 의무, 자격 등이 차별 없이 고르고 한결같음.

등분(等分)

뜻 분량을 똑같이 나눔.

3주

1 다음 한자의 뜻과 음(소리)으로 알맞은 것을 찾아 선으로 이으세요.

어휘 확인

2 다음 ◌에 공통으로 들어갈 말을 한자로 바르게 나타낸 것에 ∨표 하세요.

- ◌지: 지대가 높은 땅. 이루어야 할 목표
- ◌수: 어떤 분야나 집단에서 기술이나 능력이 매우 뛰어난 사람

☐ 平

☐ 高

어휘 확인

3 다음 문장에 들어갈 말로 어울리는 한자어를 찾아 ○표 하세요.

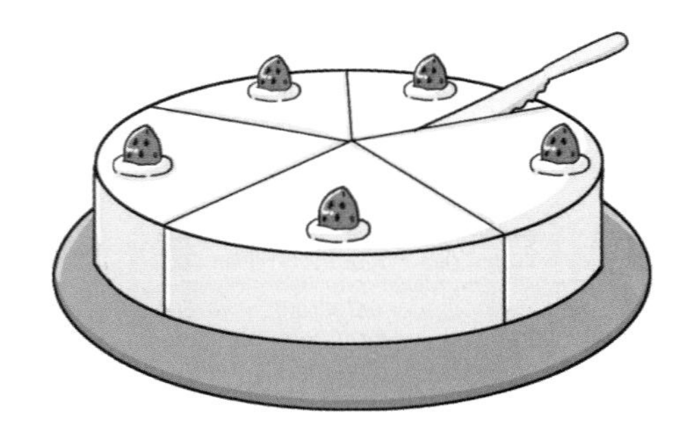

빵을 똑같은 크기로
(等分 / 平等)하였습니다.

급수 유형

4 다음 밑줄 친 한자어의 독음을 쓰세요.

보기

放電 → 방전

(1) 할아버지는 바둑의 高手입니다. → (　　　　　　)

(2) 상대편은 우리와 실력이 同等합니다. → (　　　　　　)

급수 유형

5 다음 문장에 어울리는 한자어가 되도록 [ ] 안에 알맞은 한자를 보기에서 찾아 그 번호를 쓰세요.

보기

① 高　② 救　③ 等　④ 分

(1) 우리는 차별없이 平[ ]한 사이입니다. → (　　　　　　)

(2) 이번의 승리로 우리 팀이 우승할 수 있는 유리한 [ ]地를 점령하게 되었습니다.
→ (　　　　　　)

급수 유형

6 다음 뜻에 맞는 한자어를 보기에서 찾아 그 번호를 쓰세요.

보기

① 高手　② 高地　③ 同等　④ 平等

(1) 지대가 높은 땅. 이루어야 할 목표 → (　　　　　　)

(2) 권리, 의무, 자격 등이 차별 없이 고르고 한결같음. → (　　　　　　)

3주 누구나 100점 TEST

1 다음 한자의 뜻과 관계있는 그림을 찾아 선으로 이으세요.

電 ·

· 

· 

2 한자의 뜻과 음(소리)이 바르게 쓰인 카드를 모두 찾아 ∨표 하세요.

市
수레 거/차

外
바깥 외

農
농사 농

空
장인 공

3 다음 설명에 해당하는 낱말을 찾아 그 번호를 쓰세요. (　　　　)

설명

비축해 놓은 것을 내놓음.

① 전력　② 방출　③ 전시
④ 개시　⑤ 주업

4 다음 그림이 나타내는 한자어를 찾아 ○표 하세요.

農夫

高等

5 다음 □ 안에 들어갈 한자를 보기에서 찾아 그 번호를 쓰세요.

보기

① 場　② 工　③ 軍

하루 바자회

● 이번 바자회에는 친구들과 手□으로 만든 수세미를 전시합니다.

→ (　　　　　　)

6 다음 밑줄 친 한자의 음(소리)을 쓰세요.

저희 아버지는 (1) 市외에서 작은 가구 (2) 공場을 운영하십니다.

(1) → (　　　　　　)

(2) → (　　　　　　)

7 다음 낱말과 뜻이 반대되는 한자를 보기 에서 찾아 그 번호를 쓰세요.

보기
① 外　② 農　③ 放

(1) 안 → (　　　　　　)

(2) 잡다 → (　　　　　　)

8 다음 밑줄 친 말에 해당하는 한자를 보기 에서 찾아 그 번호를 쓰세요.

보기
① 放　② 業　③ 外

● 가을이 끝나가는 지금 바깥 공기가 차갑습니다.

→ (　　　　　　)

9 다음 밑줄 친 낱말에 해당하는 한자어를 보기 에서 찾아 그 번호를 쓰세요.

보기
① 電球　② 道場　③ 場所

● 우리 태권도 도장 관장님은 외국인입니다. → (　　　　　　)

10 다음 십자말풀이를 보고 □ 안에 들어갈 알맞은 한자를 보기 에서 찾아 그 번호를 쓰세요. (　　　　　　)

보기
① 等　② 同　③ 分

→ 동□: 등급이나 정도가 같음.

↓ □분: 분량을 똑같이 나눔.

3주 특강 생각을 키워요 ①

창의·융합·코딩

국어+한문 **다음 만화를 읽고, 성어의 뜻을 생각해 보세요.**

正心工夫

바를 정 마음 심 장인 공 지아비 부 

와! 이제 수학 숙제만 하면 끝이다.

달래야! 조금만 기다려. 숙제 끝나면 같이 산책하러 가자!
딩동 딩동~
달이는 숙제 다 했나 보구나. 우리 별이는 아직 숙제 다 못한 거 같던데.
그럼요! 저는 숙제 끝내고 놀러 온 거예요.

아직 숙제 다 못했어?
응. 근데 벌써 다 했다고?

문제집 뒤에 답지가 있더라고. 그래서 얼른 베껴 썼지. 10분 만에 끝냈어.
너 너무 양심이 없는 거 아니니?
속닥
속닥

3주

◆ 성어의 뜻을 살펴보며 빈칸에 알맞은 한자를 채우세요.

→ '마음을 바르게 가다듬어 배워 익히는 데 힘쓴다.'라는 뜻으로, 배움에 있어서 바른 마음의 중요성을 이르는 말

생각을 키워요 ②

코딩+한문 **오늘은 친구와 함께 길거리 토스트를 만들려고 해요. 어떤 재료와 순서로 토스트를 만들 수 있는지 생각하면서 나만의 길거리 토스트를 만들어 보세요.**

1 길거리 토스트의 재료를 생각하면서 밑줄 친 음(소리)에 맞는 한자를 보기 에서 찾아 ○표 하세요.

- 주말에 시외로 나가 기분 전환을 했습니다.
- 매년 11월 11일은 농업인의 날입니다.
- 부모님과 자동차 공장에 견학을 다녀왔습니다.
- 방전은 끝이 뾰족한 금속 도체에서 잘 일어납니다.

보기 재료

2 길거리 토스트 만드는 순서를 생각하면서 밑줄 친 한자어의 음(소리)으로 알맞은 것을 **보기** 에서 골라 그 번호를 쓰세요.

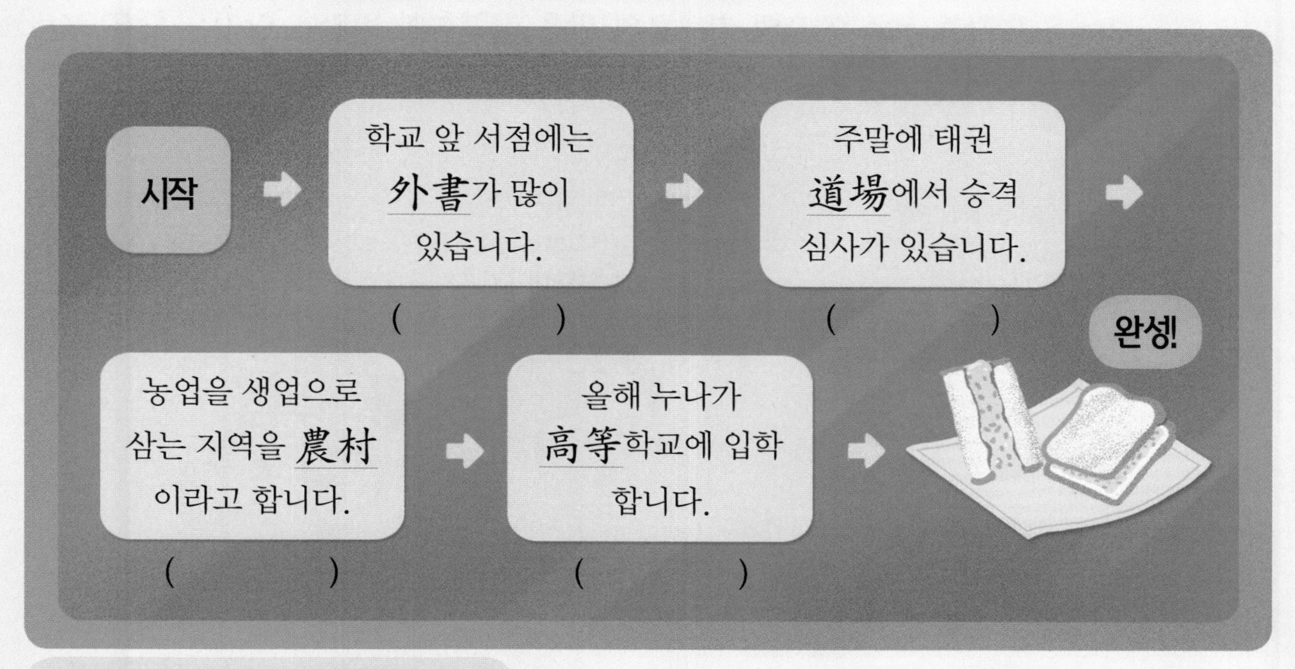

시작
학교 앞 서점에는 外書가 많이 있습니다.
( )
주말에 태권 道場에서 승격 심사가 있습니다.
( )
완성!
농업을 생업으로 삼는 지역을 農村이라고 합니다.
( )
올해 누나가 高等학교에 입학합니다.
( )

보기 길거리 토스트 만들기 순서

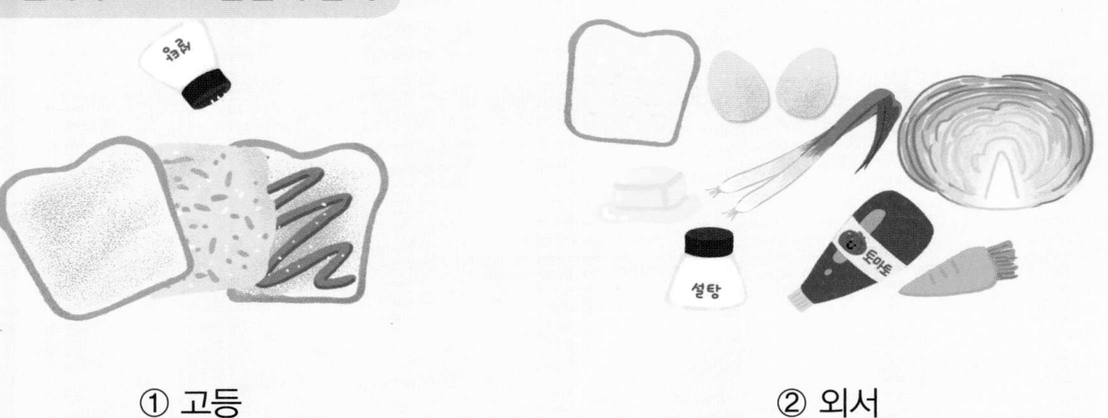

설탕
토마토

① 고등　　② 외서

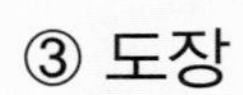

③ 도장　　④ 농촌

3주

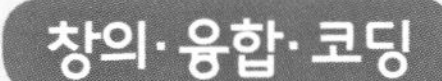

생각을 키워요 ③

수학+한문 **마라톤 코스 지도와 친구들의 말을 참고하여 빈칸에 알맞은 답을 쓰세요. 지도에서 한 칸의 길이는 2 cm이고, 한 칸씩 이동할 수 있어요.**

◐ 정답 16쪽

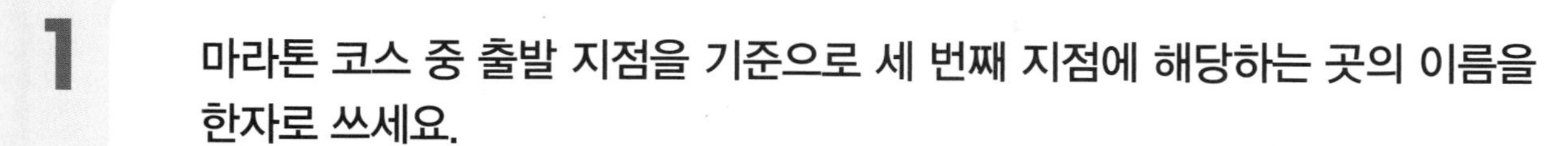

1 마라톤 코스 중 출발 지점을 기준으로 세 번째 지점에 해당하는 곳의 이름을 한자로 쓰세요.

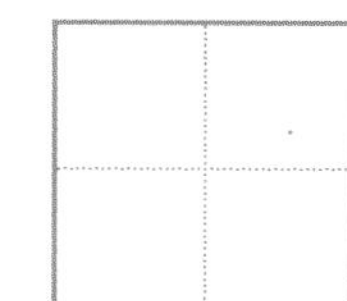 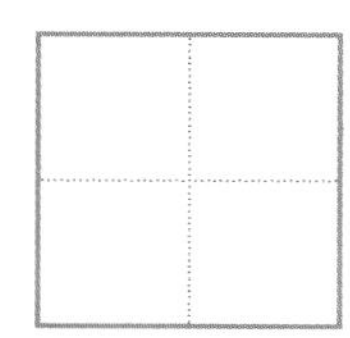 박물관

2 승민이 말의 ☐에 들어갈 한자어와 각 한자의 뜻과 음(소리)을 쓰세요.

답 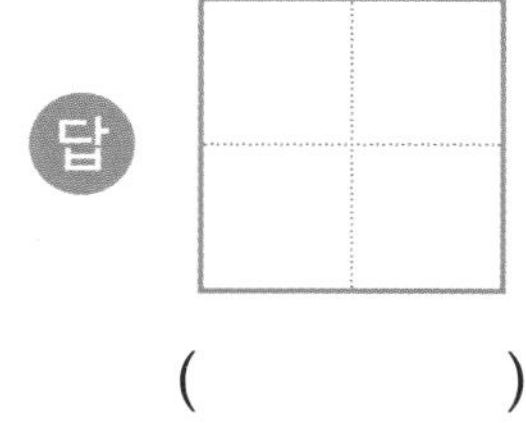 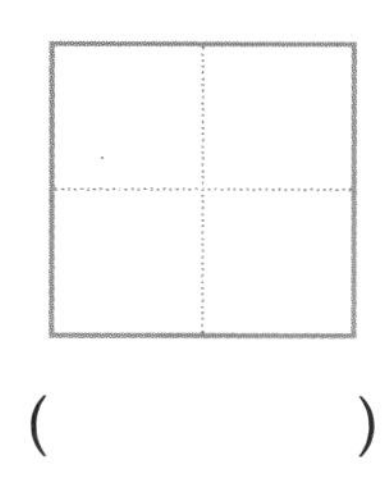

( ) ( )

3 市外버스 터미널에서 도착 지점은 방향별로 몇 cm 떨어져 있는지 쓰세요.

동쪽으로 ( ) cm / 북쪽으로 ( ) cm

4 마라톤 출발 지점부터 도착 지점까지 코스대로 간다면 총 몇 cm 달리는지 쓰세요.

총 ( ) cm

3주

4주에는 무엇을 공부할까? ❶

경찰관님!
뭐하고 계세요?

어제 우리 마을을 지켜 준 영웅을 찾고 있는데, 혹시 탐정님들은 본 적 있나요?

우리 지역 社會 公共의 안전과 平和를 위해 힘써 주신 영웅을 찾습니다.

내용: 지난밤 世界적인 화가 ○○○ 씨 家庭에 침입한 도둑을 물리치고 유유히 사라짐.

특징: 무언가를 쌓아 놓은 듯한 독특한 외형의 영웅, 영웅을 찾아 주신 분께는 두둑이 사례하겠습니다.

어? 사례도 두둑이 하네요!

이번 주에는 어떤 한자를 공부할까?

1일 家 집 가 | 庭 뜰 정　2일 公 공평할 공 | 共 한가지 공　3일 社 모일 사 | 會 모일 회

4일 世 인간 세 | 界 지경 계　5일 平 평평할 평 | 和 화할 화

그렇다면 놓칠 수 없지! 다시 한번 읽어 보자!

우리 지역 사회 공공의 안전과 평화를 위해 힘써 주신 영웅을 찾습니다.

내용: 지난밤 세계적인 화가 ○○○ 씨 가정에 침입한 도둑을 물리치고 유유히 사라짐.

특징: 무언가를 쌓아 놓은 듯한 독특한 외형의 영웅, 영웅을 찾아 주신 분께는 두둑이 사례하겠습니다.

내용은 알 것 같은데……. 영웅을 추측하기가 어려워.

잠깐만! 그러고 보니 저 동물들을 쌓아 보면…….
혹시 그 영웅의 정체가 바로 저 동물들?

두둑이 사례하겠다더니, 음식 사례였군!
근데 정말 저들이 영웅이 맞는 걸까?

4주

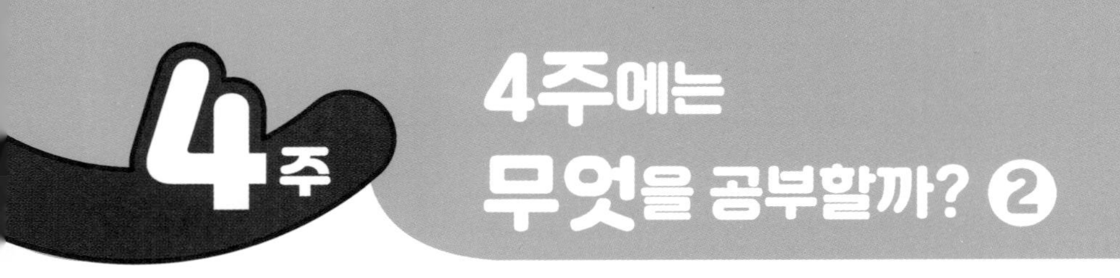

이번 주에 배울 한자가 미로 속에 있어요. 보기 를 참고해서 제시된 한자의 뜻과 음(소리)이 바르게 쓰인 길을 따라가 영웅을 찾아 주세요.

◐ 정답 17쪽

보기

家 집 **가**	庭 뜰 **정**	公 공평할 **공**	共 한가지 **공**	社 모일 **사**
會 모일 **회**	世 인간 **세**	界 지경 **계**	平 평평할 **평**	和 화할 **화**

4주

家庭

집 가　　뜰 정

다음 글을 읽고, 오늘 배울 한자를 확인해 보세요.

얼마 전 우리 집[家]에 새 식구가 생겼습니다.
가(家)족들이 많은 대화를 하고 여러 상황을 고려한 후에
유기견이었던 달래를 데려왔어요.
또 달래를 데려오면서 새로 생기는 일에 대해
각자의 역할도 정했답니다.
행복한 가정(家庭)을 위해 나는 오늘도
마당[庭]에서 달래와 열심히 놀아 주고 있어요.

오늘 배울 한자

家庭

집 가　　뜰 정

연하게 쓰인 한자를 따라 써 본 후, 빈칸에 바르게 쓰세요.

공부한 날 月 日

집 가

옛날, 집 안에서 돼지[豕]를 기른 데서 만들어진 글자로, 집을 뜻해요.

QR을 보며 따라 써요!

家	家	家	家	家	家
집 가	집 가	집 가	집 가	집 가	집 가

뜰 정

신하들이 임금님의 말을 듣던 지붕이 있는 마당을 나타낸 글자로, 뜰, 마당을 뜻해요.

QR을 보며 따라 써요!

庭	庭	庭	庭	庭	庭
뜰 정	뜰 정	뜰 정	뜰 정	뜰 정	뜰 정

4주

1일
공동체 한자

家 집 가 | 庭 뜰 정

한자어를 익혀요

교정(校庭)에 개나리가 많이 피었네. 나비도 날아다니는 걸 보니 봄이 왔나 봐.
춘곤증이 몰려오는 것을 보니 봄이 온 게 맞아.

봄을 느끼는 자세는 서로 다르구만.
봄이 되었으니 우리 집 정내(庭內)에도 꽃을 심을 때가 되었어.

네가 꽃을 심는다고?
봄이 오면 정내에 꽃을 심는 것이 우리 가풍(家風)이야.

와, 대단하다. 식구 모두 모여서 하는 거야?
우리 가사(家事) 중에 가장 큰일이라고 할 수 있지.

게다가 꽃을 심고 나면 누구보다 달래가 제일 좋아해.
그래도 힘들지 않아?

이게 가정(家庭)의 평화를 위한 나의 배려라고 할 수 있지. 내년에는 나무도 심을까 해.
험험
너 마치 낙천가(樂天家) 같다.

'家(집 가)'와 '庭(뜰 정)'이 들어간 한자어를 알아봅시다.

家
집 가

庭
뜰 정

가풍(家風)

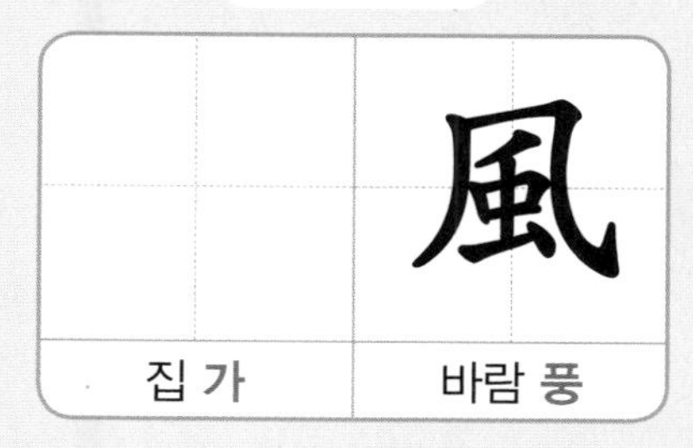
風
집 가
바람 풍

뜻 한집안에 대대로 이어 오는 풍습이나 범절

교정(校庭)

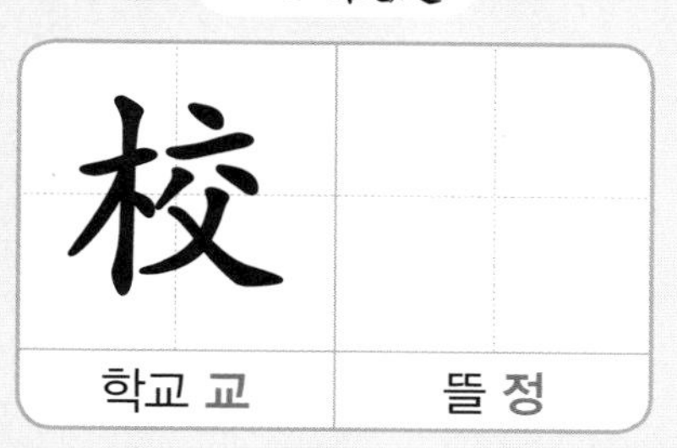
校
학교 교
뜰 정

뜻 학교의 마당이나 운동장

가사(家事)

事
집 가
일 사

뜻 살림살이에 관한 일. 한집안의 사사로운 일

정내(庭內)

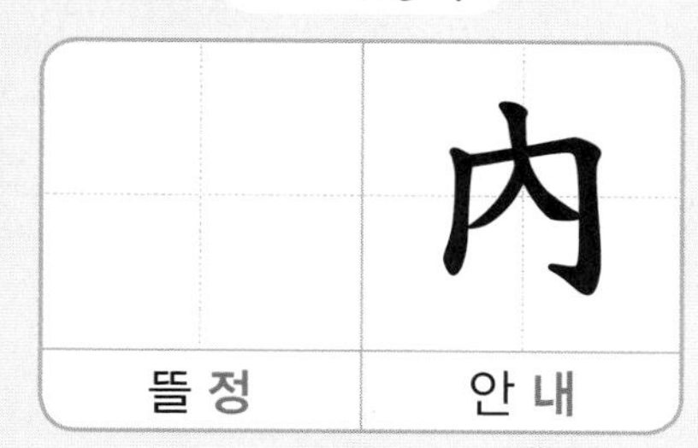
內
뜰 정
안 내

뜻 뜰 안

낙천가(樂天家)

樂
天
즐길 락/노래 악/좋아할 요
하늘 천
집 가

'樂'이 한자어의 맨 앞에 올 때는 '낙'으로 읽어요.

뜻 인생을 즐겁게 생각하며 자기의 환경을 달갑게 여기는 사람

가정(家庭)

家
집 가
뜰 정

뜻 한 가족이 생활하는 집

4주

家 집 가 | 庭 뜰 정

기초 실력을 키워요

한자 확인

1 다음 한자의 뜻과 음으로 알맞은 것을 찾아 선으로 이으세요.

家 •	• 뜰 •	• 정
庭 •	• 집 •	• 가

어휘 확인

2 다음 문장에 들어갈 말로 어울리는 한자어를 찾아 ○표 하세요.

방학 중이라 (校庭 / 家庭)은
쓸쓸히 비어 있습니다.

어휘 확인

3 다음에서 '庭內'의 뜻을 바르게 설명한 것을 찾아 ○표 하세요.

살림살이에 관한 일

뜰 안

한집안 대대로 이어
오는 풍습이나 범절

급수 유형

4 다음 한자의 뜻과 음(소리)을 쓰세요.

보기

高 → 높을 고

(1) 家 → (　　　　　)

(2) 庭 → (　　　　　)

급수 유형

5 다음 문장에 어울리는 한자어가 되도록 [ ] 안에 알맞은 한자를 보기에서 찾아 그 번호를 쓰세요.

보기

① 庭　② 家　③ 風　④ 樂

(1) 집안 [ ]內에 작은 연못이 있습니다. → (　　　　　)

(2) 이번 주말에는 [ ]事에 전념해야 합니다. → (　　　　　)

급수 유형

6 다음 뜻에 맞는 한자어를 보기에서 찾아 그 번호를 쓰세요.

보기

① 樂天家　② 庭內　③ 家庭　④ 家風

(1) 한 가족이 생활하는 집 → (　　　　　)

(2) 인생을 즐겁게 생각하며 자기의 환경을 달갑게 여기는 사람 → (　　　　　)

公 共

공평할 공　　한가지 공

다음 글을 읽고, 오늘 배울 한자를 확인해 보세요.

우리 주변에는 도서관, 병원, 공중화장실 등 공공(公共)장소가 많이 있습니다.
여러 사람이 함께[共] 이용하는 장소에서
큰 소리로 떠들거나 휴지를 아무 데나 버리는 것은
다른 사람들에게 피해를 주는 것이나 한가지[共]예요.
공공(公共)장소에서는 '나 하나쯤은 괜찮겠지?'라는 생각은 버리고,
모두가 공평하게[公] 이용할 수 있도록 해야겠죠?

연하게 쓰인 한자를 따라 써 본 후, 빈칸에 바르게 쓰세요.

공부한 날 月 日

공평할 공

물건을 공평하게 반으로 나누는 모습을 본뜬 글자로, **공평하다**를 뜻해요.

QR을 보며 따라 써요!

公	公	公	公	公	公
공평할 공	공평할 공	공평할 공	공평할 공	공평할 공	공평할 공

한가지 공

두 손으로 물건을 들고 있는 모양을 본뜬 글자로, **한가지**, **함께**를 뜻해요.

QR을 보며 따라 써요!

共	共	共	共	共	共
한가지 공	한가지 공	한가지 공	한가지 공	한가지 공	한가지 공

4주

公 공평할 공 | 共 한가지 공

한자어를 익혀요

'公(공평할 공)'과 '共(한가지 공)'이 들어간 한자어를 알아봅시다.

公

공평할 공

共

한가지 공

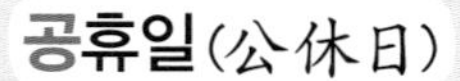
공휴일(公休日)

休 日
공평할 공
쉴 휴
날 일

뜻 국가나 사회에서 정하여 다 함께 쉬는 날

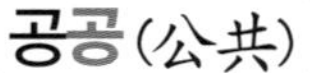
공공(公共)

公
공평할 공
한가지 공

뜻 국가나 사회의 구성원에게 두루 관계되는 것

공립(公立)

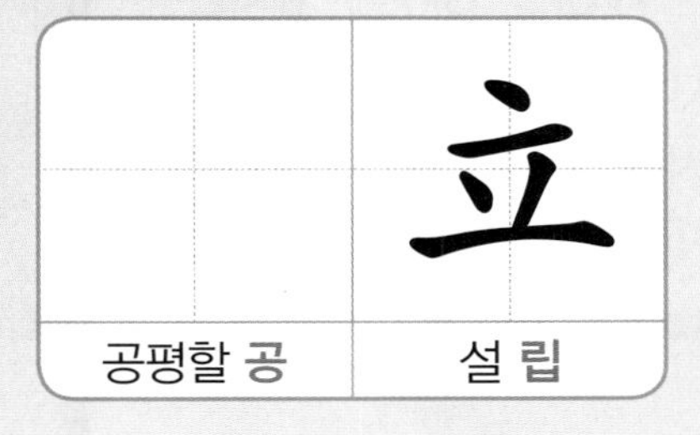
立
공평할 공
설 립

뜻 지방 자치 단체가 세워서 운영함.

공동체(共同體)

同 體
한가지 공
한가지 동
몸 체

뜻 생활이나 행동 또는 목적 등을 같이하는 집단

공용(公用)

用
공평할 공
쓸 용

뜻 공공의 목적으로 씀.

공생(共生)

生
한가지 공
날 생

뜻 서로 도우며 함께 삶.

4주

2일
공동체 한자

公 공평할 공 | 共 한가지 공 **기초 실력을 키워요**

한자 확인

1 다음 말풍선 속 밑줄 친 뜻에 해당하는 한자를 찾아 ✓표 하세요.

여러 사람이 함께
이용하는 장소에서는 질서를
잘 지켜야 합니다.

公

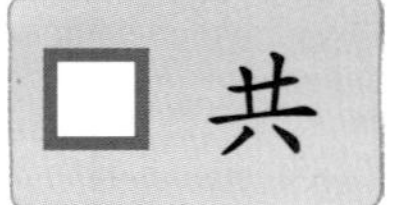
共

어휘 확인

2 그림 속 내용이 맞으면 '예', 틀리면 '아니요'에 ○표 하세요.

'共生'은
'공용'이라고
읽습니다.
예
아니요

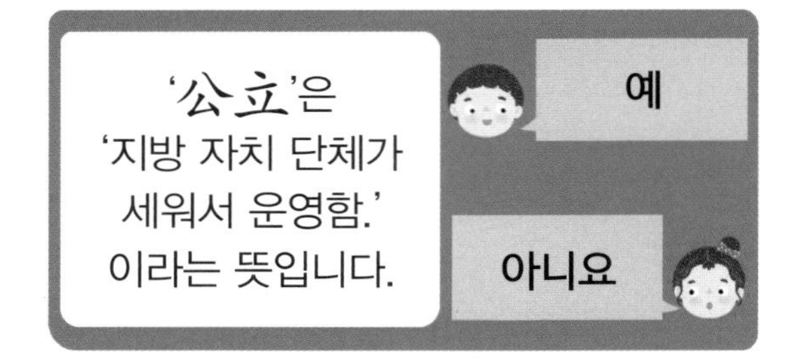
'公立'은
'지방 자치 단체가
세워서 운영함.'
이라는 뜻입니다.
예
아니요

어휘 확인

3 힌트 를 보고 빈칸에 들어갈 알맞은 한자를 쓰세요.

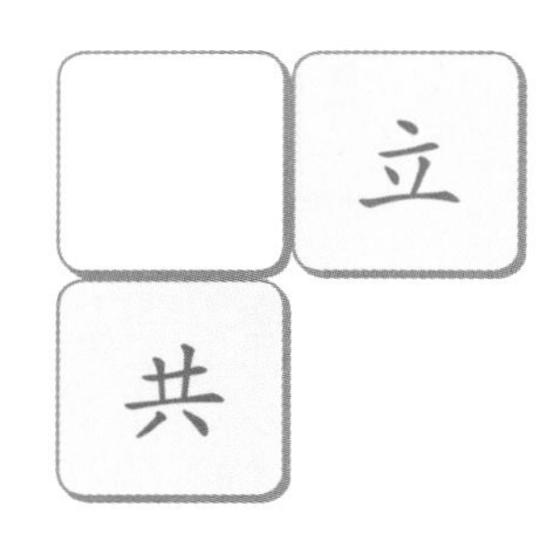
立
共

힌트

- □立: 지방 자치 단체가 세워서 운영함.
- □共: 국가나 사회의 구성원에게 두루 관계되는 것

급수 유형

4 다음 한자의 뜻과 음(소리)을 쓰세요.

보기

家 → 집 가

(1) 公 → ( )

(2) 共 → ( )

급수 유형

5 다음 밑줄 친 한자어의 독음을 쓰세요.

보기

家庭 → 가정

(1) 가정은 사회를 이루는 가장 기초적인 단위의 共同體입니다. → ( )

(2) 악어와 악어새의 共生 관계는 증명되지 않은 추측에 불과합니다. → ( )

급수 유형

6 다음 뜻에 맞는 한자어를 보기에서 찾아 그 번호를 쓰세요.

보기

① 公休日 ② 共生 ③ 公立 ④ 公用

(1) 공공의 목적으로 씀. → ( )

(2) 국가나 사회에서 정하여 다 함께 쉬는 날 → ( )

社 會

모일 사　　모일 회

다음 글을 읽고, 오늘 배울 한자를 확인해 보세요.

명절이 되면 친척들이 우리 집으로 모입니다[社].
다 같이 모여서[會] 차례를 지내고, 맛있는 음식도 나눠 먹지요.
빨리 추석이 되어 친척들을 보고 싶어요.
특히 이번에 입사(社)하여 사회(社會)생활을 시작한 삼촌이 가장 기다려져요.
첫 월급을 타서 선물을 사 오신다고 했거든요.

연하게 쓰인 한자를 따라 써 본 후, 빈칸에 바르게 쓰세요.

공부한 날 月 日

모일 사

땅의 신에게 제사를 지낼 때 사람들이 많이 모였다는 데서 **모이다**라는 뜻을 나타내요.

QR을 보며 따라 써요!

社	社	社	社	社	社
모일 사	모일 사	모일 사	모일 사	모일 사	모일 사

모일 회

먹을 것이 담긴 그릇에 뚜껑을 덮은 모양을 나타낸 글자로, 음식을 그릇에 모은 데서 **모이다**를 뜻해요.

QR을 보며 따라 써요!

會	會	會	會	會	會
모일 회	모일 회	모일 회	모일 회	모일 회	모일 회

4주

3일
공동체 한자

社 모일 사 | 會 모일 회

한자어를 익혀요

딩동
누가 오셨나 보네.
제가 나가 볼게요.

큰댁 식구들이 오셨어요.

오시느라 고생하셨어요.
아니에요. 차가 하나도 안 막혔어요.

회사(會社)가 바빠서 같이 오지 못했단다.
삼촌은 같이 안 오셨어요?
꾸벅

이번에 본인이 원하던 신문사(新聞社)에 입사(入社)했어요.
사회(社會)생활이 시작되었네요.

독일인 인터뷰를 해야 하는데 그 부서에 회화(會話) 가능한 직원이 자기뿐이라서 명절에도 바쁘대요.
달이 선물을 사 놨는데 직접 준다고 해서 안 가져왔지.
저런~

그럼 제가 삼촌 회사로 면회(面會) 가면 만날 수 있는 거죠?
아이구, 이 녀석!

한자어 활용

'社(모일 사)'와 '會(모일 회)'가 들어간 한자어를 알아봅시다.

모일 사

모일 회

신문사(新聞社)

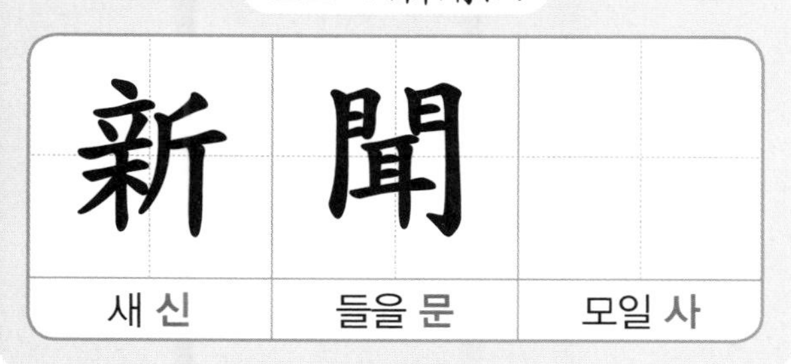

뜻 신문을 발행하는 회사

회사(會社)

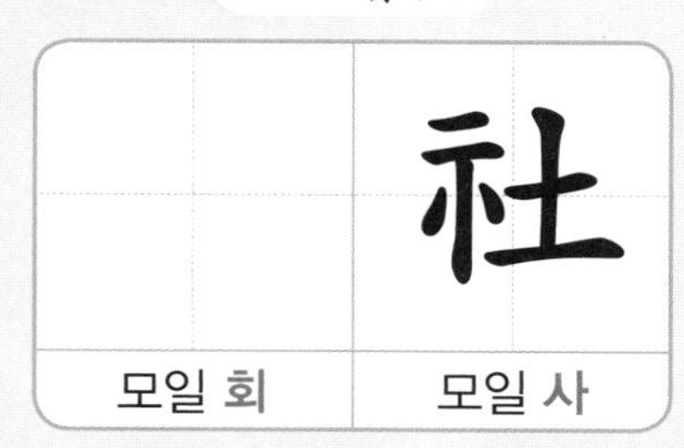

뜻 상행위 또는 그 밖의 영리 행위를 목적으로 하는 사단 법인

입사(入社)

뜻 회사에 취직하여 들어감.

회화(會話)

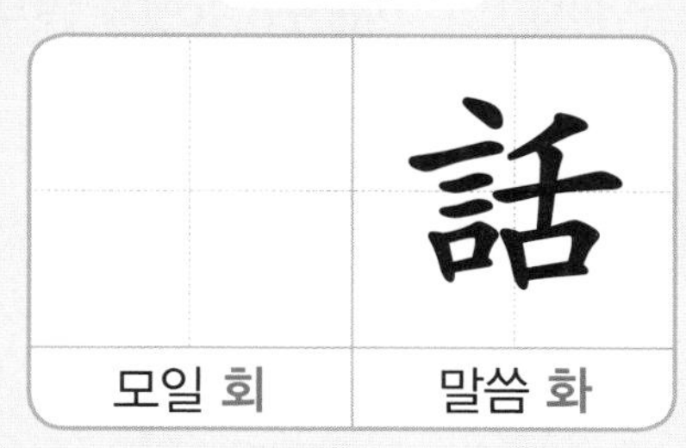

뜻 서로 만나서 이야기를 나눔. 외국어로 이야기를 나눔.

사회(社會)

뜻 같은 무리끼리 모여 이루는 집단

면회(面會)

뜻 일반인의 출입이 제한되는 곳에 찾아가서 사람을 만나 봄.

4주

3일
공동체 한자

社 모일 사 | 會 모일 회

기초 실력을 키워요

한자 확인

1 다음 포스터 속 밑줄 친 뜻에 해당하는 한자를 찾아 ∨표 하세요.

'더 나은 지구',
'더 나은 대한민국',
'더 나은 우리'를 위한
독서 모임을 합니다.

□ 會

□ 話

어휘 확인

2 다음에서 '회사에 취직하여 들어감.'을 뜻하는 한자어를 찾아 ○표 하세요.

會社

入社

面會

어휘 확인

3 다음 ◌에 공통으로 들어갈 말을 한자로 바르게 나타낸 것에 ∨표 하세요.

- 社◌: 같은 무리끼리 모여 이루는 집단
- ◌話: 서로 만나서 이야기를 나눔. 외국어로 이야기를 나눔.

□ 會

□ 聞

급수 유형

4 다음 밑줄 친 한자어의 음(소리)을 쓰세요.

보기

共 → 한가지 공

(1) 社 → (   )

(2) 會 → (   )

급수 유형

5 다음 문장에 어울리는 한자어가 되도록 [ ] 안에 알맞은 한자를 보기 에서 찾아 그 번호를 쓰세요.

보기

① 入 ② 社 ③ 面 ④ 會

(1) 삼촌은 新聞[ ]에 기자로 취직하셨습니다. → (   )

(2) 다음 주부터 영어 [ ]話 학원에 다니기로 했습니다. → (   )

급수 유형

6 다음 뜻에 맞는 한자어를 보기 에서 찾아 그 번호를 쓰세요.

보기

① 會社 ② 事會 ③ 會話 ④ 面會

(1) 일반인의 출입이 제한되는 곳에 찾아가서 사람을 만나 봄. → (   )

(2) 상행위 또는 그 밖의 영리 행위를 목적으로 하는 사단 법인 → (   )

4일
공동체 한자

世 界

인간 세 지경 계

다음 글을 읽고, 오늘 배울 한자를 확인해 보세요.

UFO가 발견되었다는 소식에 전 세계(世界)가 깜짝 놀랐어요.
하늘을 날고 있는 물체 중 무엇인지 정확히 알 수 없는 것을
모두 UFO라고 부른다고 하던데, 지구 경계[界]에 있는
인공위성도 UFO로 착각할 수 있겠죠?
어떤 사람들은 UFO는 외계(界)인이 보낸 것이라고도 하고…….
진실이 무엇인지 알고 싶어요.
만약 외계(界)인이 있다면 언젠가는 인간[世]과도 연락이 닿겠죠?
오늘 배울 한자
世 界
인간 세 지경 계

연하게 쓰인 한자를 따라 써 본 후, 빈칸에 바르게 쓰세요.

공부한 날 月 日

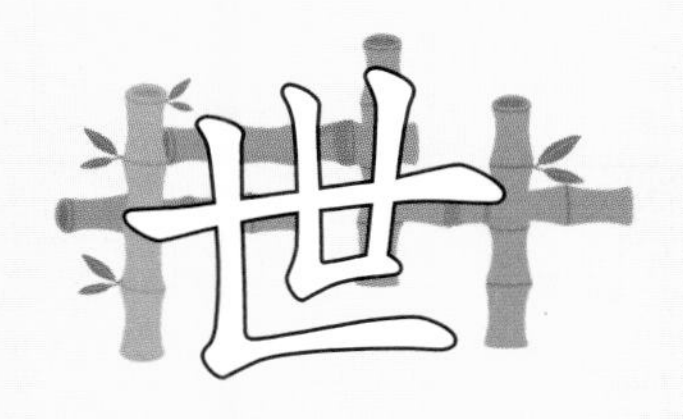

인간 세

열십자(十) 세 개를 합하여 사람의 한 세대가 30년임을 나타낸 글자로, 인간, 세대, 세상을 뜻해요.

QR을 보며 따라 써요!

世	世	世	世	世	世
인간 세	인간 세	인간 세	인간 세	인간 세	인간 세

지경 계

밭과 밭 사이를 나누는 경계를 나타낸 글자로, 경계, 둘레를 뜻해요.

QR을 보며 따라 써요!

界	界	界	界	界	界
지경 계	지경 계	지경 계	지경 계	지경 계	지경 계

4주

世 인간 세 | 界 지경 계

한자어를 익혀요

'世(인간 세)'와 '界(지경 계)'가 들어간 한자어를 알아봅시다.

世
인간 세

界
지경 계

세계(世界)

界
인간 세
지경 계

뜻 지구상의 모든 나라. 인류 사회 전체

외계인(外界人)

外
人
바깥 외
지경 계
사람 인

뜻 지구 이외의 천체에 존재한다고 생각되는 지적인 생명체

중세(中世)

中
가운데 중
인간 세

뜻 고대에 이어 근대에 선행하는 시기

각계(各界)

各
각각 각
지경 계

뜻 사회의 각 분야

세간(世間)

間
인간 세
사이 간

뜻 세상 일반

학계(學界)

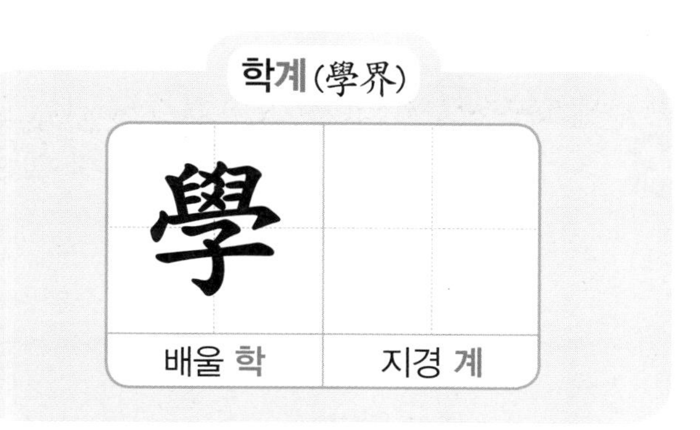
學
배울 학
지경 계

뜻 학문 연구 및 저술에 종사하는 학자들의 활동 분야

世 인간 세 | 界 지경 계 **기초 실력을 키워요**

1 다음 한자의 뜻과 음(소리)으로 알맞은 것을 찾아 선으로 이으세요.

界

가늘 세 | 인간 세 | 셀 계 | 지경 계

어휘 확인

2 다음 문장에 들어갈 말로 어울리는 한자어를 찾아 ○표 하세요.

비행접시를 타고 온 (外界人 / 外國人)이 우리 동네에 나타났다는 소문이 있습니다.

어휘 확인

3 다음에서 '學界'의 뜻을 바르게 설명한 것을 찾아 ○표 하세요.

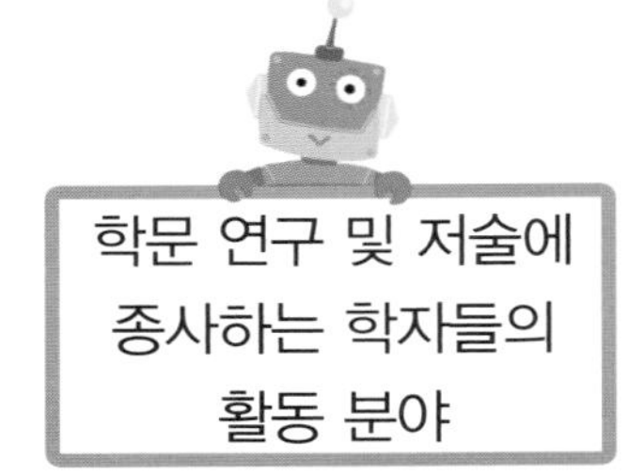

급수 유형

4 다음 밑줄 친 한자어의 독음을 쓰세요.

보기

社會 → 사회

(1) 이번 행사에 各界의 저명한 인사를 초대하였습니다. → (   )

(2) 경주가 유네스코에서 선정하는 世界 10대 유적지의 하나로 뽑혔습니다.
→ (   )

급수 유형

5 다음 문장에 어울리는 한자어가 되도록 [ ] 안에 알맞은 한자를 보기 에서 찾아 그 번호를 쓰세요.

보기

① 界 ② 中 ③ 世 ④ 電

(1) [ ]間에 알려진 소문은 사실이었습니다. → (   )

(2) 외계인은 이미 學[ ]의 주목을 받아 연구가 이루어지고 있습니다.
→ (   )

급수 유형

6 다음 뜻에 맞는 한자어를 보기 에서 찾아 그 번호를 쓰세요.

보기

① 中世 ② 各界 ③ 世界 ④ 外界人

(1) 고대에 이어 근대에 선행하는 시기 → (   )

(2) 지구상의 모든 나라. 인류 사회 전체 → (   )

平和

평평할 평　　화할 화

다음 글을 읽고, 오늘 배울 한자를 확인해 보세요.

친구들과 우리 집에서 모둠별 과제를 하기로 했습니다.
주제가 남녀평(平)등인데, 남자인 달이와 다투지 않고
화목[和]하게 할 수 있을까요?
남녀 모두에게 공평한[平] 주제로 정해야 할 것 같아요.
내일까지 마무리해야 하는데 걱정입니다.
평화(平和)롭게 마무리할 수 있겠죠?

연하게 쓰인 한자를 따라 써 본 후, 빈칸에 바르게 쓰세요.

공부한 날 月 日

평평할 평

저울의 모양을 본뜬 글자예요. 저울이 균형을 이루고 있는 모습에서 평평하다, 공평하다라는 뜻이 생겼어요.

QR을 보며 따라 써요!

平	平	平	平	平	平
평평할 평	평평할 평	평평할 평	평평할 평	평평할 평	평평할 평

화할 화

수확한 벼를 여럿이 나눠 먹는다는 데서 화목하다, 온화하다를 뜻해요.

QR을 보며 따라 써요!

和	和	和	和	和	和
화할 화	화할 화	화할 화	화할 화	화할 화	화할 화

4주

5일
공동체 한자

平 평평할 평 | 和 화할 화

한자어를 익혀요

학교 신문을 만들어야 하는데, 잘할 수 있겠지?
난 벌써 생각해 놨어.
나도!

다했다!
여럿이 인화(人和) 단결하니 일이 쉽게 풀리는군.

생각보다 빨리 쉽게 끝냈어. 잠시 평안(平安)을 잃었던 내가 민망하네.

내가 보답으로 맛있는 떡볶이를 사 줄게.
지금 당장 가자!
언제…….
다다다

너무 매워.
그래도 맛있어.
서비스로 튀김을 줄게. 튀김으로 중화(中和)시키렴.
짜잔~
감사합니다!!!

튀김을 먹었더니 입에 평화(平和)가 찾아왔어.
맞아. 이제 좀 나아졌어.

튀김이 하나 남았네. 이건 공평(公平)하게 나눠 먹으면 되겠다.
무슨 소리! 난 아직 평화를 찾지 못했다고! 이건 내 것!
쏙

먹을 것 앞에서 결국 불화(不和)가 생기는군.

'平(평평할 평)'과 '和(화할 화)'가 들어간 한자어를 알아봅시다.

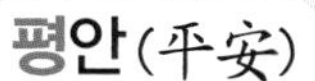

평안(平安)

뜻 걱정이나 탈이 없음. 무사히 잘 있음.

인화(人和)

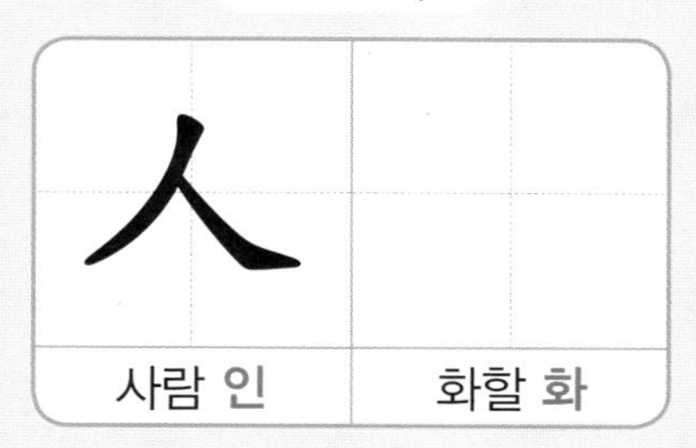

뜻 여러 사람이 서로 화합함.

평화(平和)

뜻 평온하고 화목함.

중화(中和)

뜻 서로 다른 성질을 가진 것이 섞여 중간의 성질을 띠게 함.

공평(公平)

뜻 어느 쪽으로도 치우치지 않고 고름.

불화(不和)

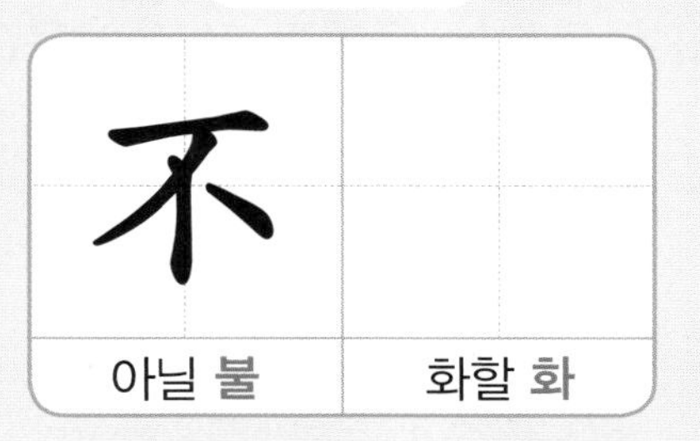

뜻 서로 화합하지 못함. 서로 사이좋게 지내지 못함.

한자 확인

1 다음 한자와 뜻이 반대되는 낱말을 찾아 선으로 이으세요.

- 가파르다
- 평평하다

어휘 확인

2 다음에서 '어느 쪽으로도 치우치지 않고 고름.'을 뜻하는 낱말을 찾아 ○표 하세요.

어휘 확인

3 다음 문장에 들어갈 말로 어울리는 한자어를 찾아 ○표 하세요.

고대 그리스인들은 올리브 나무로
(平和 / 公平)의 상징인 화관을 만들어
썼다고 합니다.

급수 유형

4 다음 한자의 뜻과 음(소리)을 쓰세요.

보기
界 → 지경 계

(1) 平 → (　　　　　　)

(2) 和 → (　　　　　　)

급수 유형

5 다음 밑줄 친 한자어의 독음을 쓰세요.

보기
世界 → 세계

(1) 항상 마음의 平和가 깃들기를 기원합니다. → (　　　　　　)

(2) 가족 간에 대화를 많이 하면 不和가 생길 가능성이 적어집니다.
→ (　　　　　　)

급수 유형

6 다음 뜻에 맞는 한자어를 보기 에서 찾아 그 번호를 쓰세요.

보기
① 中和　② 公平　③ 平安　④ 平和

(1) 걱정이나 탈이 없음. 무사히 잘 있음. → (　　　　　　)

(2) 서로 다른 성질을 가진 것이 섞여 중간의 성질을 띠게 함. → (　　　　　　)

누구나 100점 TEST

1 다음 한자의 뜻과 관계있는 그림을 찾아 선으로 이으세요.

家 •

• 

• 

2 한자의 뜻과 음(소리)이 바르게 쓰인 카드를 모두 찾아 ∨표 하세요.

庭
뜰 정

共
공평할 공

社
모일 사

界
인간 세

3 다음 뜻에 해당하는 낱말을 찾아 그 번호를 쓰세요. (　　　　)

국가나 사회의 구성원에게
두루 관계되는 것

① 공립　② 공생　③ 공용
④ 공공　⑤ 공구

4 다음 그림이 나타내는 한자어를 찾아 ○표 하세요.

1월

公休日

外界人

5 다음 □ 안에 들어갈 알맞은 한자를 보기에서 찾아 그 번호를 쓰세요.

보기

① 和　② 庭　③ 會

● 비가 오고 바람이 불면서 곱게 물들었던 단풍이 떨어져 교□에 쌓였습니다. → (　　　　)

6 다음 밑줄 친 한자의 음(소리)을 쓰세요.

(1) 공共 도서관 휴관일 안내
일요일을 제외한 법정 (2) 公휴일
및 국가가 정한 임시 휴일

(1) → (　　　　　)

(2) → (　　　　　)

7 다음 뜻에 알맞은 한자를 보기 에서 찾아 그 번호를 쓰세요.

보기
① 共　② 平　③ 界

(1) 지경 → (　　　　　)

(2) 한가지 → (　　　　　)

8 다음 밑줄 친 말에 해당하는 한자를 보기 에서 찾아 그 번호를 쓰세요.

보기
① 平　② 庭　③ 公

● 울퉁불퉁했던 시골길을 아스팔트로 포장하여 평평해졌습니다.

→ (　　　　　)

9 다음 밑줄 친 낱말에 해당하는 한자어를 보기 에서 찾아 그 번호를 쓰세요.

보기
① 入社　② 面會　③ 會話

● 이모가 아이를 낳아서 신생아실에 면회를 다녀왔습니다.

→ (　　　　　)

10 다음 십자말풀이를 보고 ▢ 안에 들어갈 알맞은 한자를 보기 에서 찾아 그 번호를 쓰세요. (　　　　　)

보기
① 界　② 世　③ 分

중	▢
	계

→ 중▢: 고대에 이어 근대에 선행하는 시기

↓ ▢계: 지구상의 모든 나라

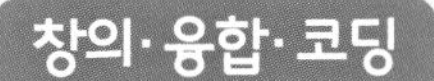

생각을 키워요 ①

창의·융합·코딩

국어+한문 다음 만화를 읽고, 성어의 뜻을 생각해 보세요.

公 明 正 大

공평할 **공** 밝을 **명** 바를 **정** 큰 **대**

◐ 정답 20쪽

4주

◆ 성어의 뜻을 살펴보며 빈칸에 알맞은 한자를 채우세요.

→ '마음이 공평하고 사심이 없으며 밝고 크다.'라는 뜻으로, 어떤 일을 할 때 사사로운 감정이나 욕심을 개입시키지 않고 올바르고 현명한 자세로 임하는 것을 이르는 말

코딩+한문 강아지 친구들에게 반려견인 달래를 소개해 주려고 해요. 다음 한자어의 음(소리)으로 알맞은 것을 고르고, 오른쪽 그림에서 달래가 누구인지 찾아 ○표 하세요.

家庭	公共	社會	世界	平和
귀	꼬리	입	다리	뒷모습
가정	공립	입사	중세	평안
가풍	공용	회화	세계	인화
가사	공공	면회	세간	평화
교정	공생	사회	학계	공평

4주

생각을 키워요 3

사회+한문 **소방서 누리집 방문과 견학으로 알게 된 내용을 보고서로 정리했어요. 다음 글을 읽고, 물음에 답하세요.**

조사 보고서

- 조사 일시: 20○○년 ○○월 ○○일
- 조사 장소: ○○ 소방서
- 조사 방법: 소방서 누리집 방문, 소방서 견학 및 소방관 면담
- 알게 된 점과 느낀 점
  - 소방서는 화재 예방과 진압, 응급 환자 구조 활동 등을 합니다.
  - 소방서는 어린이와 주민들이 재난을 체험할 수 있는 소방 현장 체험 교실을 운영합니다.
  - 소방 현장 체험 교실에서 화재 시 대피, 응급 처치 등을 체험해 보니 불이 나지 않도록 조심해야겠다는 생각이 들었고, 소방관들에게 감사하는 마음이 생겼습니다.
- 더 알고 싶은 점
  - 소방서에서는 어떤 일을 더 할까?
  - 다른 ㉠ 公共 기관들은 어떤 일을 할까?
  - ㉡ 世界 각국의 소방서와는 어떤 차이가 있을까?

◐ 정답 21쪽

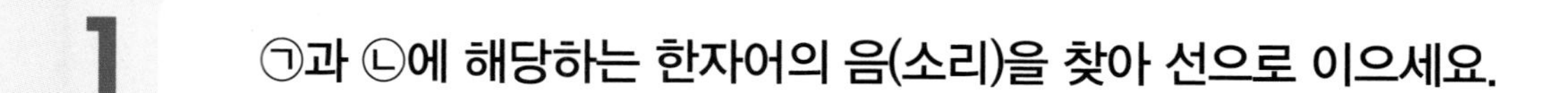

1 ㉠과 ㉡에 해당하는 한자어의 음(소리)을 찾아 선으로 이으세요.

㉠ •		• 세계
㉡ •		• 공공

2 다음 글을 읽고, 공공 기관과 관련이 없는 것에 ○표 하세요.

지역에는 사람들이 편리하게 이용할 수 있는 다양한 시설이 있습니다. 그 중 개인의 이익이 아닌 주민 전체의 이익과 생활의 편의를 위해 국가나 지방 자치 단체가 세우거나 관리하는 공공 기관이 있습니다. 공공 기관은 주민들이 더 편리하고 안전하게 생활할 수 있도록 돕는 곳입니다.

경찰서　　백화점　　보건소

3 다음 밑줄 친 낱말에 해당하는 한자어를 쓰세요.

이처럼 공공 기관은
우리 지역 사회에 없어서는
안 될 고맙고 중요한
곳입니다.

답 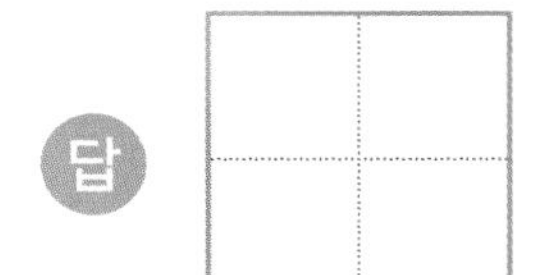 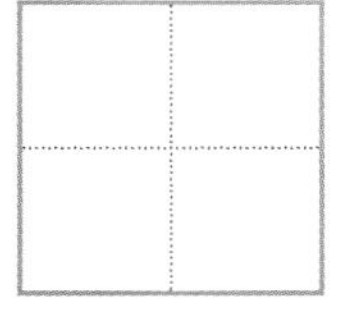

4주

6급Ⅱ 급수 시험 맛보기 1회

[문제 1~8] 다음 밑줄 친 漢字語한자어의 讀音(독음: 읽는 소리)을 쓰세요.

보기
漢字 → 한자

1 모두 친구의 發表에 주목해 주세요.
( )

2 그 場面은 매우 감격적이었습니다.
( )

3 빈칸에 이름을 記入해 주세요.
( )

4 자를 대고 똑바로 直線을 그었습니다.
( )

5 나는 양식보다 韓食을 더 좋아합니다.
( )

6 휴대 전화가 放電되어 연락할 수 없었습니다.
( )

7 오늘은 公休日이라 학교에 가지 않습니다.
( )

8 집마다 家風이 다릅니다.
( )

[문제 9~16] 다음 漢字한자의 訓(훈: 뜻)과 音(음: 소리)을 쓰세요.

보기
字 → 글자 자

9 事 ( )

10 聞 ( )

11 窓 ( )

12 藥 ( )

13 電 ( )

14 業 ( )

15 共 ( )

16 和 ( )

[문제 17] 다음 중 뜻이 서로 반대(상대)되는 漢字한자끼리 연결되지 않은 것을 고르세요.

17 ① 夏 ↔ 冬　② 問 ↔ 答
③ 平 ↔ 等　④ 手 ↔ 足

(　　　　)

[문제 18] 다음 문장에 어울리는 漢字語한자어가 되도록 (　) 안에 알맞은 한자를 보기 에서 찾아 그 번호를 쓰세요.

보기
① 窓　② 線　③ 高　④ 題

18 수학 問(　)를 푸는 데에 오랜 시간이 걸렸습니다.

(　　　　)

[문제 19] 다음 뜻에 맞는 漢字語한자어를 보기 에서 찾아 그 번호를 쓰세요.

보기
① 全市 ② 工作 ③ 電球 ④ 庭内

19 뜰 안　(　　　　)

[문제 20~23] 다음 밑줄 친 漢字語한자어를 漢字한자로 쓰세요.

20 실외에서 운동을 했습니다.

(　　　　)

21 가고 싶은 대학에 방문할 것입니다.

(　　　　)

22 생수를 사 마셨습니다.

(　　　　)

23 내 친구는 외국인입니다.

(　　　　)

[문제 24~25] 다음 漢字한자의 짙게 표시한 획은 몇 번째 쓰는 획인지 보기 에서 찾아 그 번호를 쓰세요.

보기
① 첫 번째　② 두 번째
③ 세 번째　④ 네 번째

24 和　(　　　　)

25 外　(　　　　)

6급 Ⅱ 급수 시험 맛보기 2회

[문제 1~8] 다음 밑줄 친 漢字語한자어의 讀音(독음: 읽는 소리)을 쓰세요.

보기

漢字 → 한자

1 어머니께서 外家에 갈 준비를 하십니다.
( )

2 新年을 맞아 계획을 세웠습니다.
( )

3 친구와 食事 약속을 잡았습니다.
( )

4 高地가 코앞이므로 절대 포기하지 않았습니다.
( )

5 놀이공원 入口에 사람들이 줄을 서 있습니다.
( )

6 그는 新聞社에 출근한 지 며칠 되지 않았습니다.
( )

7 飮用할 수 있는 물을 마셔야 탈이 나지 않습니다.
( )

8 公平하게 투표를 통해서 정했습니다.
( )

[문제 9~16] 다음 漢字한자의 訓(훈: 뜻)과 音(음: 소리)을 쓰세요.

보기

字 → 글자 자

9 話 ( )

10 書 ( )

11 果 ( )

12 堂 ( )

13 等 ( )

14 工 ( )

15 會 ( )

16 界 ( )

[문제 17] 다음 중 뜻이 서로 반대(상대)되는 漢字한자끼리 연결되지 않은 것을 고르세요.

17 ① 春 ↔ 秋　② 天 ↔ 地
③ 社 ↔ 會　④ 東 ↔ 西

(　　　　　)

[문제 18] 다음 문장에 어울리는 漢字語한자어가 되도록 (　) 안에 알맞은 한자를 보기 에서 찾아 그 번호를 쓰세요.

보기
① 讀　② 平　③ 家　④ 放

18 나는 매일 아침 30분씩 (　)書 시간을 가집니다.

(　　　　　)

[문제 19] 다음 뜻에 맞는 漢字語한자어를 보기 에서 찾아 그 번호를 쓰세요.

보기
① 等分　② 世間　③ 不和　④ 主業

19 서로 화합하지 못함. 또는 서로 사이좋게 지내지 못함.

(　　　　　)

[문제 20~23] 다음 밑줄 친 漢字語한자어를 漢字한자로 쓰세요.

20 이 그림은 중국의 풍경을 담고 있습니다.

(　　　　　)

21 지금이 인생의 황금기입니다.

(　　　　　)

22 학생들이 교실에 모였습니다.

(　　　　　)

23 중년의 아저씨가 짐을 들어 주셨습니다.

(　　　　　)

[문제 24~25] 다음 漢字한자의 짙게 표시한 획은 몇 번째 쓰는 획인지 보기 에서 찾아 그 번호를 쓰세요.

보기
① 첫 번째　② 두 번째
③ 세 번째　④ 네 번째

24 表

(　　　　　)

25 室

(　　　　　)

학습 내용 찾아보기

한자

한자어

언어 한자
讀
읽을 독/구절 두

언어 한자
書
글 서

언어 한자
表
겉 표

언어 한자
現
나타날 현

한자와 뜻·음(소리)을 쓰세요.
書
書
뜻
음

한자와 뜻·음(소리)을 쓰세요.
讀
讀
뜻
음

한자와 뜻·음(소리)을 쓰세요.
現
現
뜻
음

한자와 뜻·음(소리)을 쓰세요.
表
表
뜻
음

언어 한자
新
새 신

언어 한자
聞
들을 문

언어 한자
記
기록할 기

언어 한자
事
일 사

한자와 뜻·음(소리)을 쓰세요.
聞
聞
뜻
음

한자와 뜻·음(소리)을 쓰세요.
新
新
뜻
음

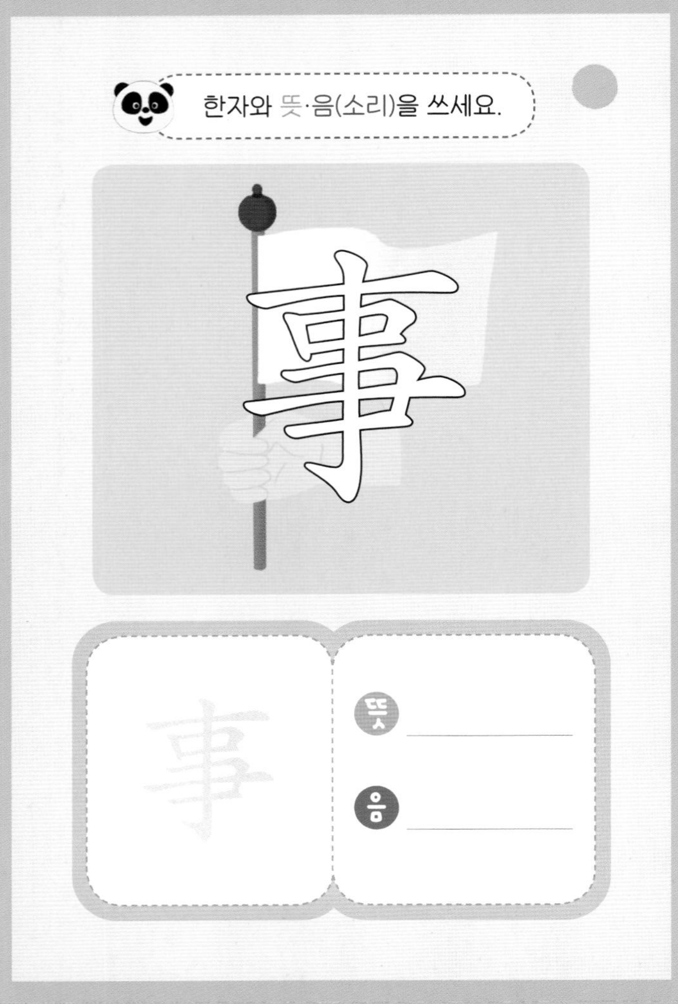
한자와 뜻·음(소리)을 쓰세요.
事
事
뜻
음

한자와 뜻·음(소리)을 쓰세요.
記
記
뜻
음

언어 한자
話
말씀 화

언어 한자
題
제목 제

일상생활 한자
飮
마실 음

일상생활 한자
食
밥/먹을 식

한자와 뜻·음(소리)을 쓰세요.
題
題
뜻
음

한자와 뜻·음(소리)을 쓰세요.
話
話
뜻
음

한자와 뜻·음(소리)을 쓰세요.
食
食
뜻
음

한자와 뜻·음(소리)을 쓰세요.
飮
飮
뜻
음

일상생활 한자
藥
약 약

일상생활 한자
果
실과 과

일상생활 한자
窓
창 창

일상생활 한자
口
입 구

한자와 뜻·음(소리)을 쓰세요.
果
뜻
음

한자와 뜻·음(소리)을 쓰세요.
樂
뜻
음

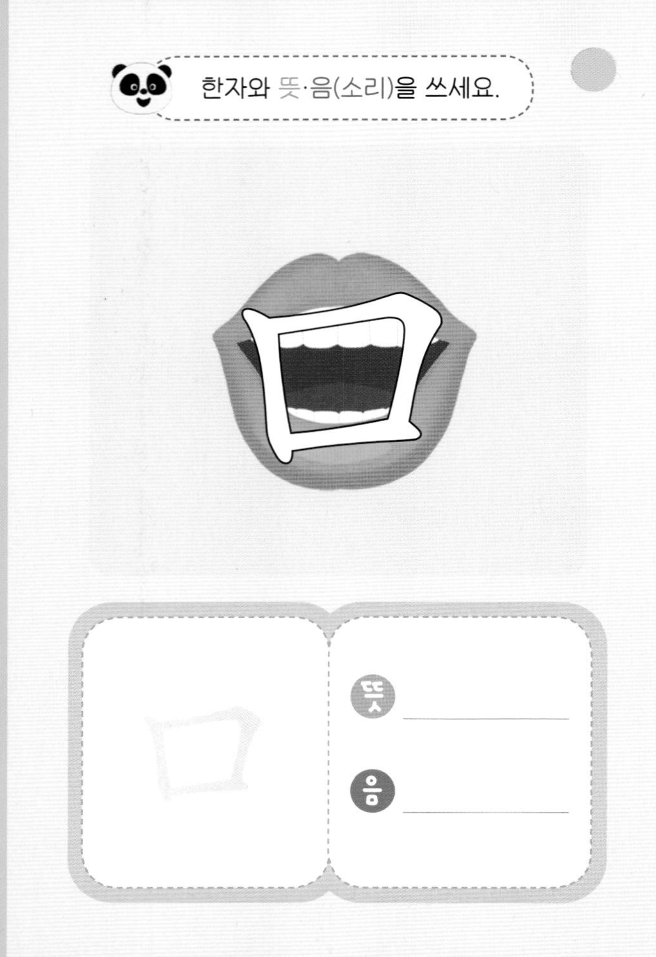
한자와 뜻·음(소리)을 쓰세요.
口
뜻
음

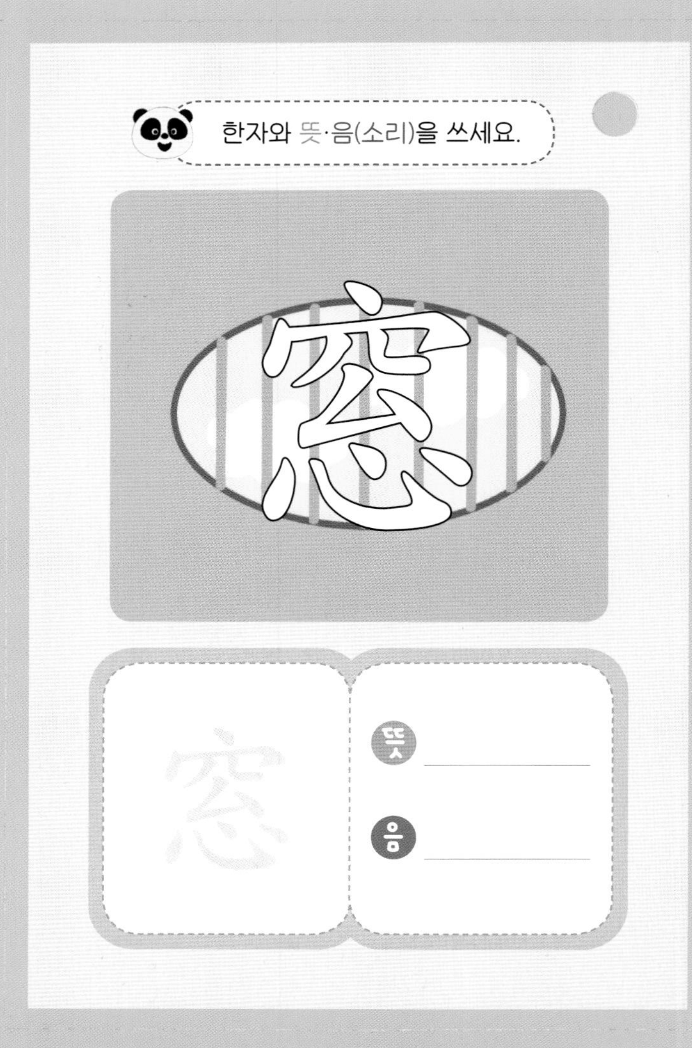
한자와 뜻·음(소리)을 쓰세요.
窓
뜻
음

일상생활 한자
堂
집 당

일상생활 한자
室
집 실

일상생활 한자
車
수레 거/차

일상생활 한자
線
줄 선

한자와 뜻·음(소리)을 쓰세요.
室
室
뜻
음

한자와 뜻·음(소리)을 쓰세요.
堂
堂
뜻
음

한자와 뜻·음(소리)을 쓰세요.
線
線
뜻
음

한자와 뜻·음(소리)을 쓰세요.
車
車
뜻
음

일상생활 한자
市
저자 시

일상생활 한자
外
바깥 외

일상생활 한자
工
장인 공

일상생활 한자
場
마당 장

한자와 뜻·음(소리)을 쓰세요.
外
外
뜻
음

한자와 뜻·음(소리)을 쓰세요.
시 장
市
市
뜻
음

한자와 뜻·음(소리)을 쓰세요.
場
場
뜻
음

한자와 뜻·음(소리)을 쓰세요.
工
工
뜻
음

일상생활 한자
農
농사 농

일상생활 한자
業
업 업

일상생활 한자
放
놓을 방

일상생활 한자
電
번개 전

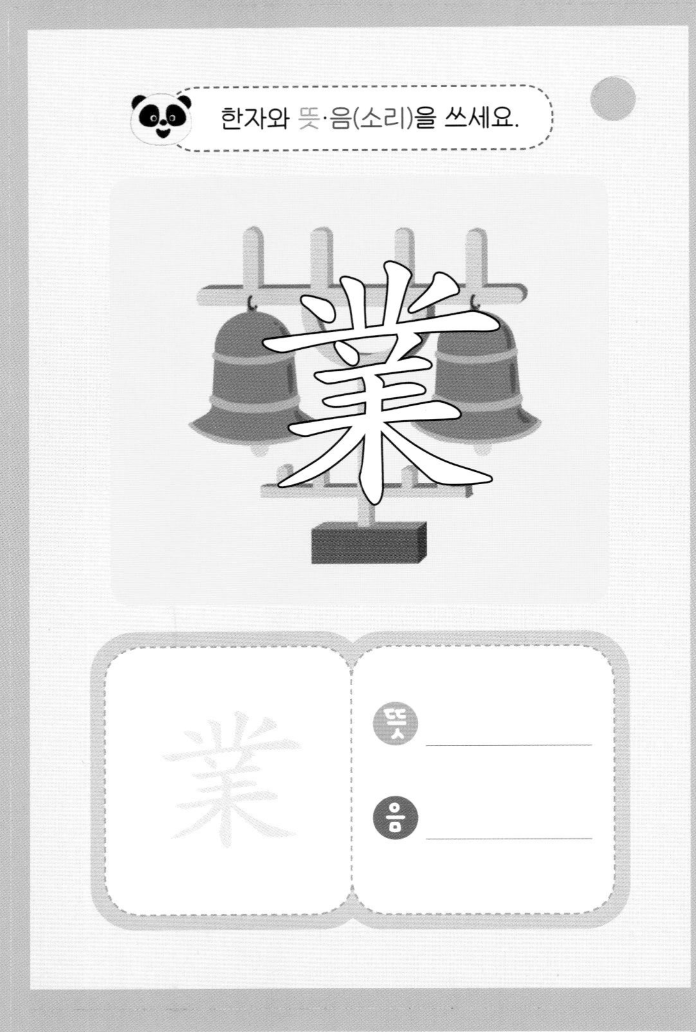
한자와 뜻·음(소리)을 쓰세요.
業
業
뜻
음

한자와 뜻·음(소리)을 쓰세요.
農
農
뜻
음

한자와 뜻·음(소리)을 쓰세요.
電
電
뜻
음

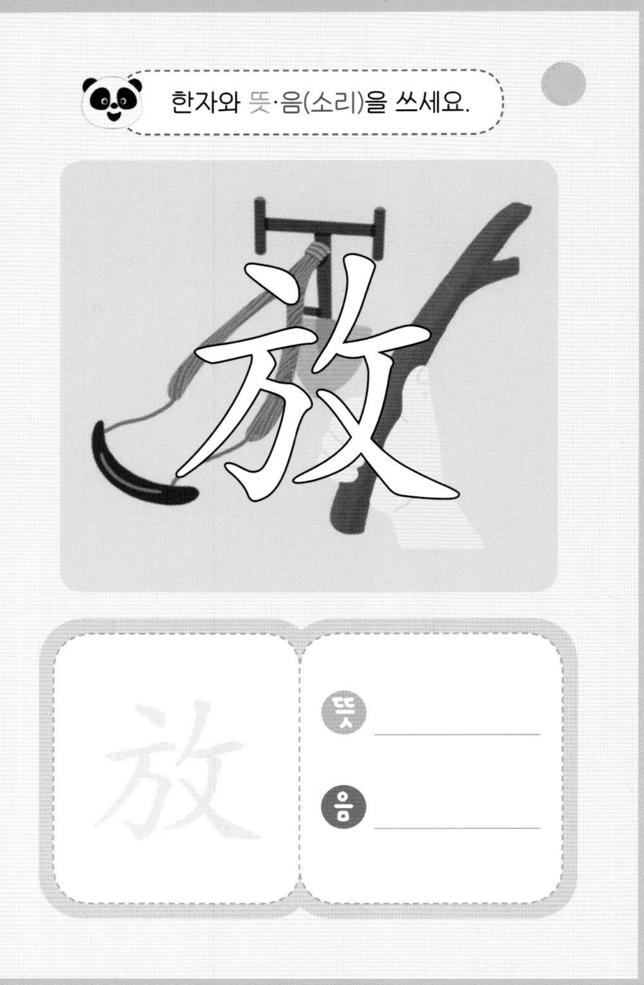
한자와 뜻·음(소리)을 쓰세요.
放
放
뜻
음

일상생활 한자
高
높을 고

일상생활 한자
等
무리 등

일상생활 한자
家
집 가

일상생활 한자
庭
뜰 정

한자와 뜻·음(소리)을 쓰세요.

等

뜻 ______

음 ______

한자와 뜻·음(소리)을 쓰세요.

高

뜻 ______

음 ______

한자와 뜻·음(소리)을 쓰세요.

庭

뜻 ______

음 ______

한자와 뜻·음(소리)을 쓰세요.

家

뜻 ______

음 ______

공동체 한자
公
공평할 공

공동체 한자
共
한가지 공

공동체 한자
社
모일 사

공동체 한자
會
모일 회

한자와 뜻·음(소리)을 쓰세요.
共
뜻
음

한자와 뜻·음(소리)을 쓰세요.
公
뜻
음

한자와 뜻·음(소리)을 쓰세요.
會
뜻
음

한자와 뜻·음(소리)을 쓰세요.
社
뜻
음

공동체 한자
世
인간 세

공동체 한자
界
지경 계

공동체 한자
平
평평할 평

공동체 한자
和
화할 화

한자와 뜻·음(소리)을 쓰세요.

界

뜻

음

한자와 뜻·음(소리)을 쓰세요.

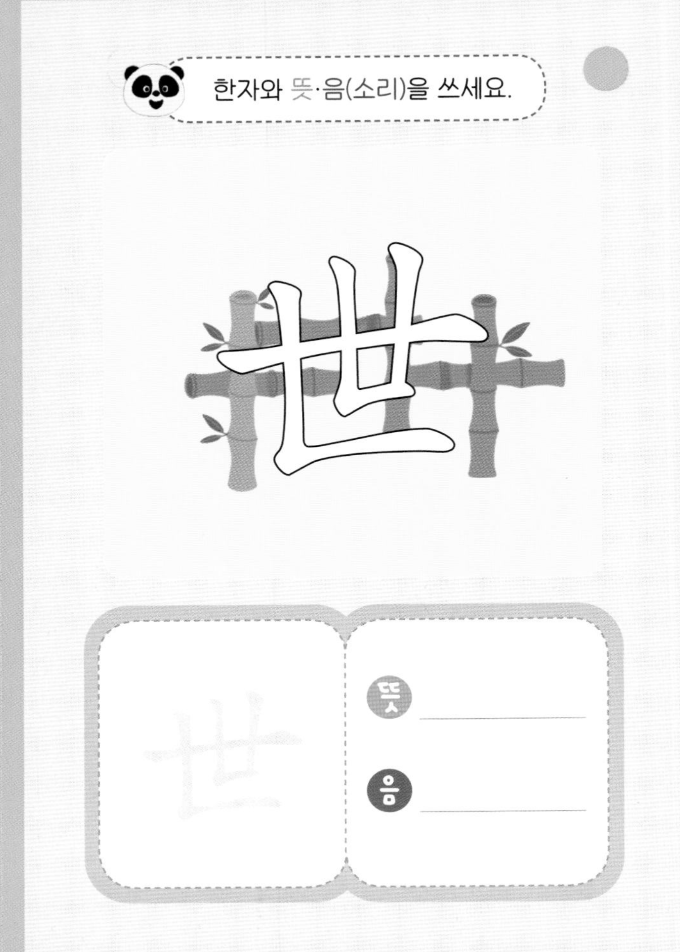

世

뜻

음

한자와 뜻·음(소리)을 쓰세요.

和

뜻

음

한자와 뜻·음(소리)을 쓰세요.

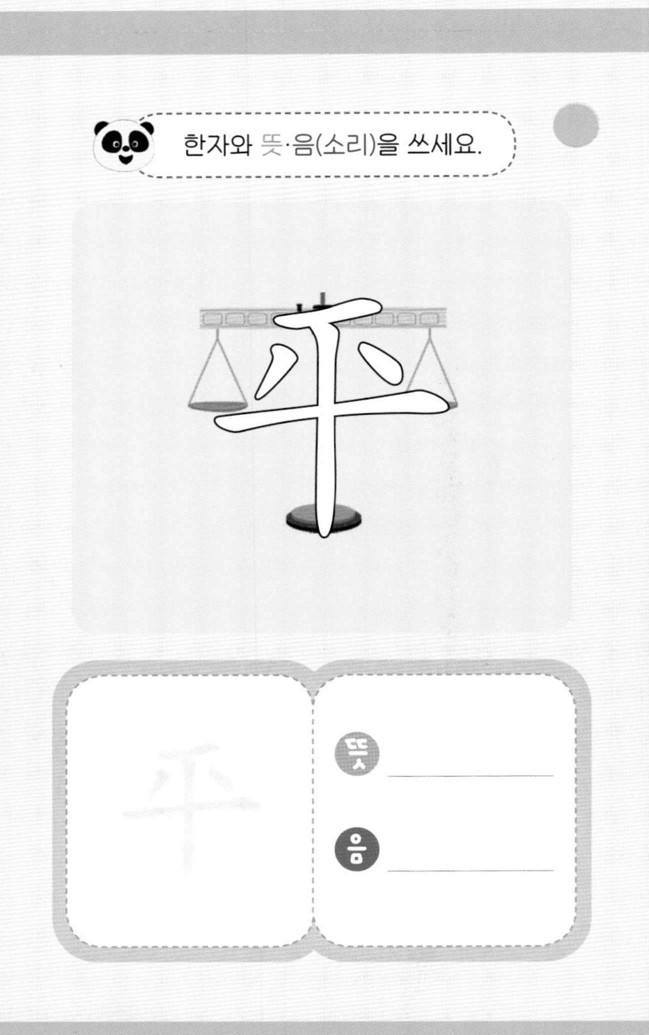

平

뜻

음

꼭 알아야 할
사자성어

水 漁 之 交

水	漁	之	交
물	물고기	갈	사귈
수	어	지	교

물고기에게 물은 정말 소중한 존재이지요.
수어지교란 물고기와 물의 관계처럼,
아주 친밀하여 떨어질 수 없는 사이
또는 깊은 우정을 일컫는 말이랍니다.

쉽다!

10분이면 하루치 공부를 마칠 수 있는 커리큘럼으로,
아이들이 초등 학습에 쉽고 재미있게 접근할 수 있도록
구성하였습니다.

재미있다!

교과서는 물론 생활 속에서 쉽게 접할 수 있는
다양한 소재와 재미있는 게임 형식의 문제로
흥미로운 학습이 가능합니다.

똑똑하다!

초등학생에게 꼭 필요한 학습 지식 습득은 물론
창의력 확장까지 가능한 교재로 올바른 공부습관을
가지는 데 도움을 줍니다.

과목	교재 구성	과목	교재 구성
하루 독해	예비초~6학년 각 A·B (14권)	하루 VOCA	3~6학년 각 A·B (8권)
하루 어휘	예비초~6학년 각 A·B (14권)	하루 Grammar	3~6학년 각 A·B (8권)
하루 글쓰기	예비초~6학년 각 A·B (14권)	하루 Reading	3~6학년 각 A·B (8권)
하루 한자	예비초: 예비초 A·B (2권) 1~6학년: 1A~4C (12권)	하루 Phonics	Starter A·B / 1A~3B (8권)
하루 수학	1~6학년 1·2학기 (12권)	하루 봄·여름·가을·겨울	1~2학년 각 2권 (8권)
하루 계산	예비초~6학년 각 A·B (14권)	하루 사회	3~6학년 1·2학기 (8권)
하루 도형	예비초~6학년 각 A·B (14권)	하루 과학	3~6학년 1·2학기 (8권)
하루 사고력	1~6학년 각 A·B (12권)	하루 안전	1~2학년 (2권)

※ 각 교재별 출간 시기는 조금씩 다르며, 일부 교재는 순차적으로 출시될 예정입니다.

똑 똑 한

하루 한자

정답

4 단계 A

6급Ⅱ 기초1

천재교육

배운 내용은
꼭꼭 복습하기!

똑 똑 한

하루 한자

정답

012~013쪽

1주 도입

1주에는 무엇을 공부할까? 2
이번 주에 배울 한자가 그림 속에 숨어 있어요. 보기를 참고하여 해당 한자의 음(소리)을 쓰세요. 그리고 황금책을 들고 있는 범인을 찾아 ○표 하세요.
보기 讀 읽을 독 구절 두 書 글 서 表 겉 표 現 나타날 현 新 새 신 聞 들을 문 記 기록할 기 事 일 사 話 말씀 화 題 제목 제
讀 독/두
신간 소식
新 신
오늘의 책
記 기
제목을 정해 주세요!
題 제
現 현
事 사
表 표
書 서
話 화
聞 문
12 • 똑똑한 하루 한자
4단계-A 1주 • 13

018~019쪽

1주 1일

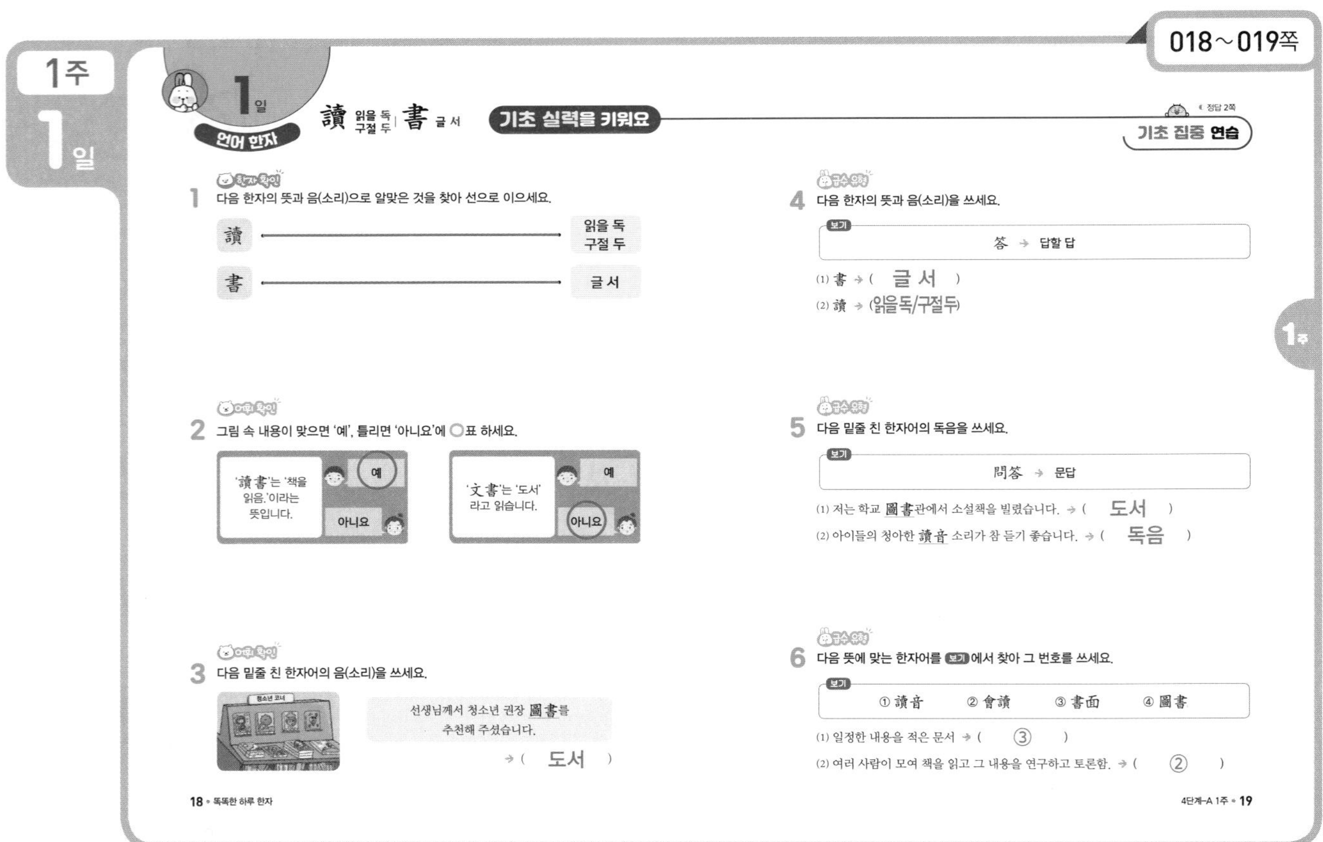
1일 언어 한자
讀 읽을 독 구절 두 書 글 서
기초 실력을 키워요
기초 집중 연습
1 다음 한자의 뜻과 음(소리)으로 알맞은 것을 찾아 선으로 이으세요.
讀 — 읽을 독 구절 두
書 — 글 서
2 그림 속 내용이 맞으면 '예', 틀리면 '아니요'에 ○표 하세요.
'讀書'는 '책을 읽음.'이라는 뜻입니다. 예
'文書'는 '도서'라고 읽습니다. 아니요
3 다음 밑줄 친 한자어의 음(소리)을 쓰세요.
선생님께서 청소년 권장 圖書를 추천해 주셨습니다.
→ (도서)
4 다음 한자의 뜻과 음(소리)을 쓰세요.
보기 答 → 답할 답
(1) 書 → (글 서)
(2) 讀 → (읽을 독/구절 두)
5 다음 밑줄 친 한자어의 독음을 쓰세요.
보기 問答 → 문답
(1) 저는 학교 圖書관에서 소설책을 빌렸습니다. → (도서)
(2) 아이들의 청아한 讀音 소리가 참 듣기 좋습니다. → (독음)
6 다음 뜻에 맞는 한자어를 보기에서 찾아 그 번호를 쓰세요.
보기 ① 讀音 ② 會讀 ③ 書面 ④ 圖書
(1) 일정한 내용을 적은 문서 → (③)
(2) 여러 사람이 모여 책을 읽고 그 내용을 연구하고 토론함. → (②)
18 • 똑똑한 하루 한자
4단계-A 1주 • 19

1주 2일

024~025쪽

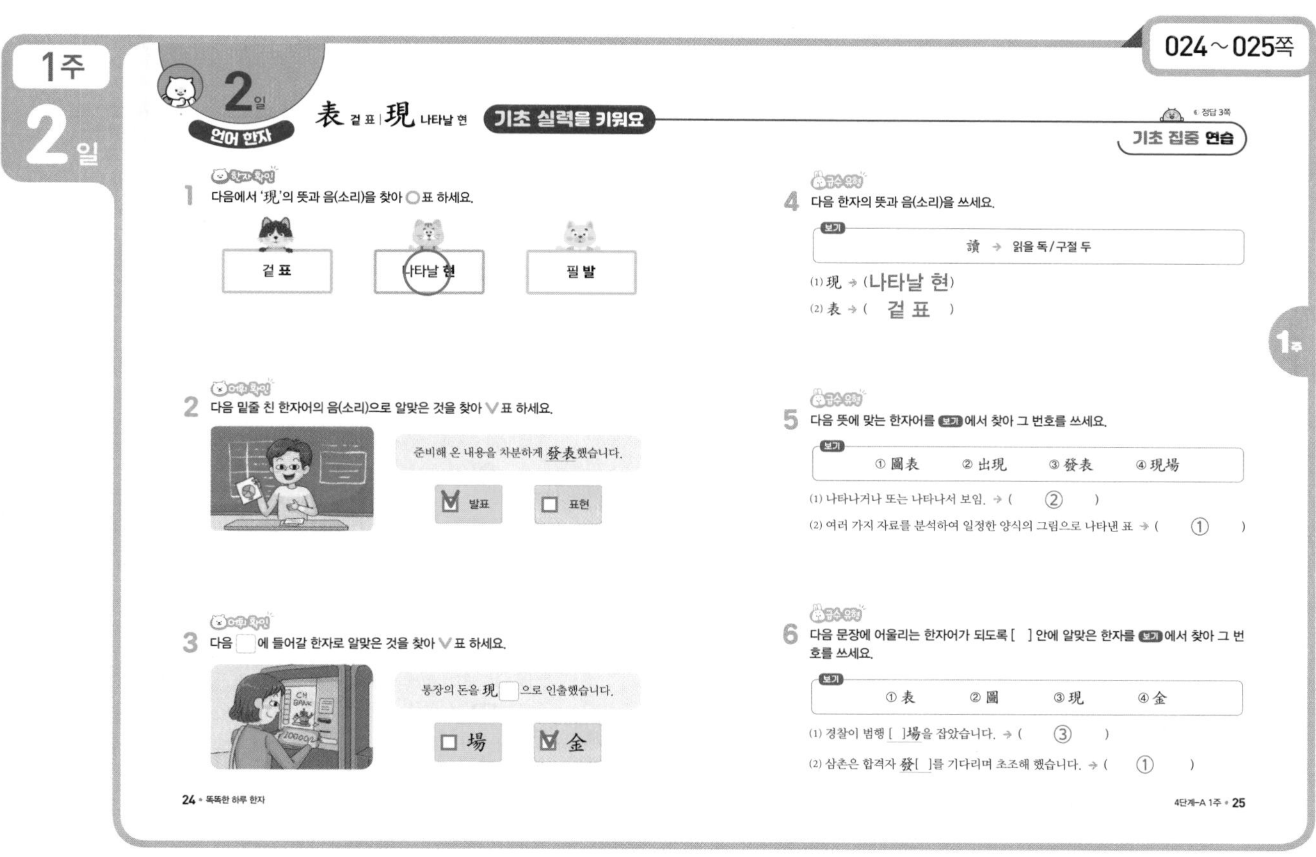

2일 언어 한자

表 겉 표 | 現 나타날 현 기초 실력을 키워요

« 정답 3쪽

기초 집중 연습

한자 확인

1 다음에서 '現'의 뜻과 음(소리)을 찾아 ○표 하세요.

겉 표 / (나타날 현) / 필 발

어휘 확인

2 다음 밑줄 친 한자어의 음(소리)으로 알맞은 것을 찾아 ∨표 하세요.

준비해 온 내용을 차분하게 發表했습니다.

☑ 발표 ☐ 표현

어휘 확인

3 다음 ☐에 들어갈 한자로 알맞은 것을 찾아 ∨표 하세요.

통장의 돈을 現☐으로 인출했습니다.

☐ 場 ☑ 金

24 • 똑똑한 하루 한자

급수 유형

4 다음 한자의 뜻과 음(소리)을 쓰세요.

보기: 讀 → 읽을 독 / 구절 두

(1) 現 → (나타날 현)

(2) 表 → (겉 표)

급수 유형

5 다음 뜻에 맞는 한자어를 보기에서 찾아 그 번호를 쓰세요.

보기: ① 圖表 ② 出現 ③ 發表 ④ 現場

(1) 나타나거나 또는 나타나서 보임. → (②)

(2) 여러 가지 자료를 분석하여 일정한 양식의 그림으로 나타낸 표 → (①)

급수 유형

6 다음 문장에 어울리는 한자어가 되도록 [ ] 안에 알맞은 한자를 보기에서 찾아 그 번호를 쓰세요.

보기: ① 表 ② 圖 ③ 現 ④ 金

(1) 경찰이 범행 [ ]場을 잡았습니다. → (③)

(2) 삼촌은 합격자 發[ ]를 기다리며 초조해 했습니다. → (①)

4단계-A 1주 • 25

1주 3일

030~031쪽

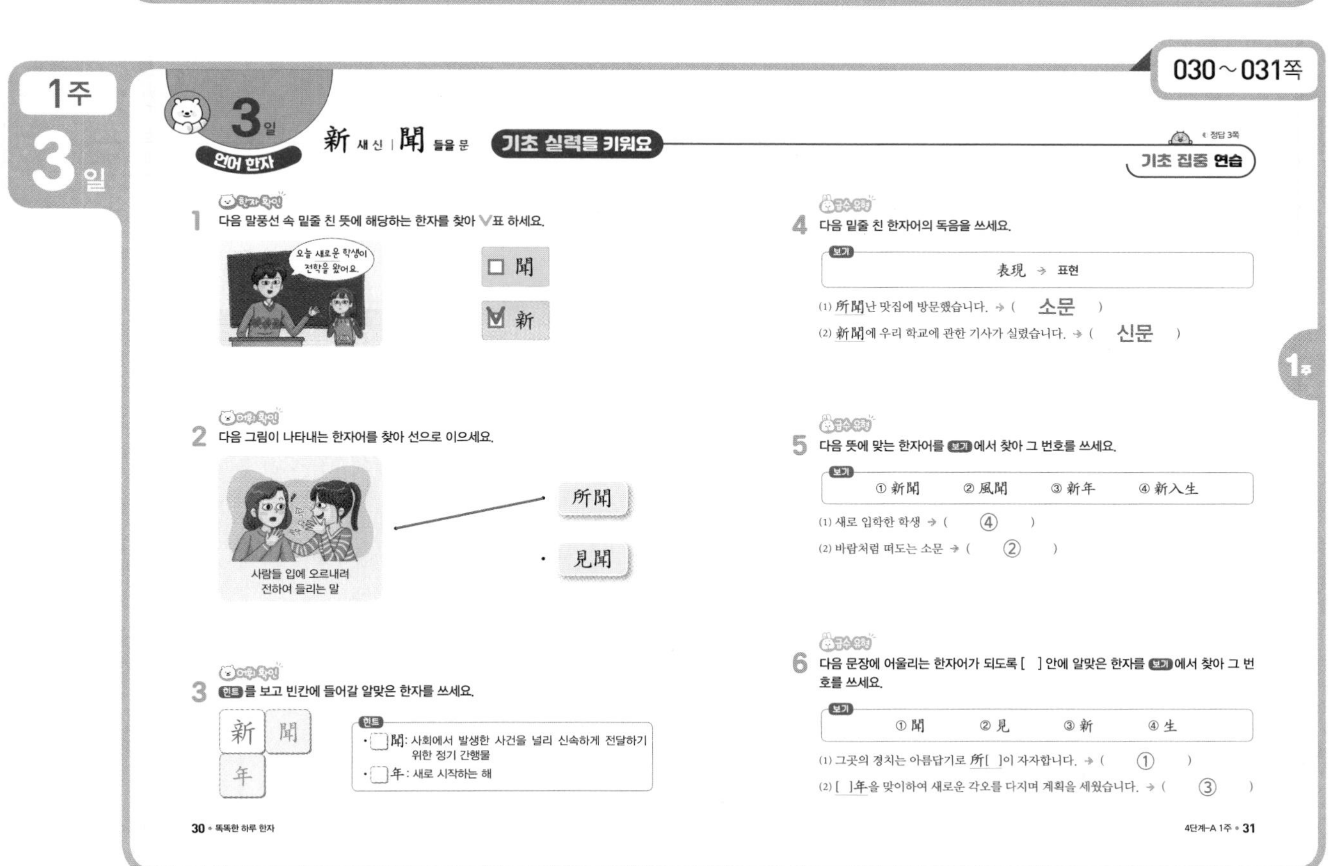

3일 언어 한자

新 새 신 | 聞 들을 문 기초 실력을 키워요

« 정답 3쪽

기초 집중 연습

한자 확인

1 다음 말풍선 속 밑줄 친 뜻에 해당하는 한자를 찾아 ∨표 하세요.

☐ 聞 ☑ 新

어휘 확인

2 다음 그림이 나타내는 한자어를 찾아 선으로 이으세요.

사람들 입에 오르내려 전하여 들리는 말 — 所聞

見聞

어휘 확인

3 힌트를 보고 빈칸에 들어갈 알맞은 한자를 쓰세요.

新 聞

年

힌트
- ☐聞: 사회에서 발생한 사건을 널리 신속하게 전달하기 위한 정기 간행물
- ☐年: 새로 시작하는 해

30 • 똑똑한 하루 한자

급수 유형

4 다음 밑줄 친 한자어의 독음을 쓰세요.

보기: 表現 → 표현

(1) 所聞난 맛집에 방문했습니다. → (소문)

(2) 新聞에 우리 학교에 관한 기사가 실렸습니다. → (신문)

급수 유형

5 다음 뜻에 맞는 한자어를 보기에서 찾아 그 번호를 쓰세요.

보기: ① 新聞 ② 風聞 ③ 新年 ④ 新入生

(1) 새로 입학한 학생 → (④)

(2) 바람처럼 떠도는 소문 → (②)

급수 유형

6 다음 문장에 어울리는 한자어가 되도록 [ ] 안에 알맞은 한자를 보기에서 찾아 그 번호를 쓰세요.

보기: ① 聞 ② 見 ③ 新 ④ 生

(1) 그곳의 경치는 아름답기로 所[ ]이 자자합니다. → (①)

(2) [ ]年을 맞이하여 새로운 각오를 다지며 계획을 세웠습니다. → (③)

4단계-A 1주 • 31

정답

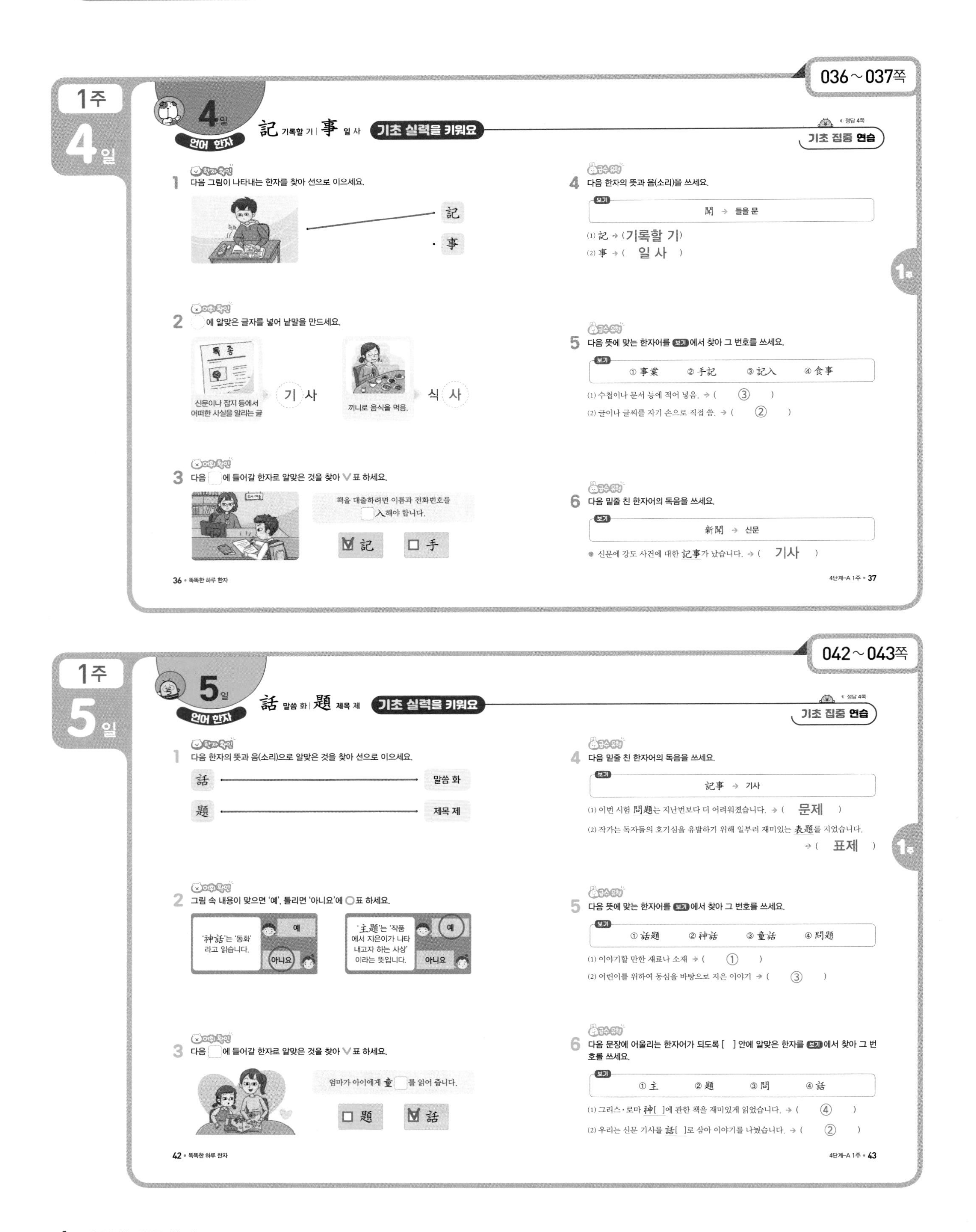

036~037쪽

1주 4일

4일 언어 한자

記 기록할 기 | 事 일 사 기초 실력을 키워요

기초 집중 연습

1 다음 그림이 나타내는 한자를 찾아 선으로 이으세요.

記 · 事

2 ◯에 알맞은 글자를 넣어 낱말을 만드세요.

특종

신문이나 잡지 등에서 어떠한 사실을 알리는 글 → 기 사

끼니로 음식을 먹음. → 식 사

3 다음 ☐에 들어갈 한자로 알맞은 것을 찾아 V표 하세요.

책을 대출하려면 이름과 전화번호를 ☐入해야 합니다.

☑ 記 ☐ 手

4 다음 한자의 뜻과 음(소리)을 쓰세요.

보기 聞 → 들을 문

(1) 記 → (기록할 기)

(2) 事 → (일 사)

5 다음 뜻에 맞는 한자어를 보기에서 찾아 그 번호를 쓰세요.

보기 ① 事業 ② 手記 ③ 記入 ④ 食事

(1) 수첩이나 문서 등에 적어 넣음. → (③)

(2) 글이나 글씨를 자기 손으로 직접 씀. → (②)

6 다음 밑줄 친 한자어의 독음을 쓰세요.

보기 新聞 → 신문

● 신문에 강도 사건에 대한 記事가 났습니다. → (기사)

36 • 똑똑한 하루 한자 4단계-A 1주 • 37

042~043쪽

1주 5일

5일 언어 한자

話 말씀 화 | 題 제목 제 기초 실력을 키워요

기초 집중 연습

1 다음 한자의 뜻과 음(소리)으로 알맞은 것을 찾아 선으로 이으세요.

話 — 말씀 화

題 — 제목 제

2 그림 속 내용이 맞으면 '예', 틀리면 '아니요'에 ◯표 하세요.

'神話'는 '동화'라고 읽습니다. → 아니요

'主題'는 '작품에서 지은이가 나타내고자 하는 사상'이라는 뜻입니다. → 예

3 다음 ☐에 들어갈 한자로 알맞은 것을 찾아 V표 하세요.

엄마가 아이에게 童☐를 읽어 줍니다.

☐ 題 ☑ 話

4 다음 밑줄 친 한자어의 독음을 쓰세요.

보기 記事 → 기사

(1) 이번 시험 問題는 지난번보다 더 어려워졌습니다. → (문제)

(2) 작가는 독자들의 호기심을 유발하기 위해 일부러 재미있는 表題를 지었습니다. → (표제)

5 다음 뜻에 맞는 한자어를 보기에서 찾아 그 번호를 쓰세요.

보기 ① 話題 ② 神話 ③ 童話 ④ 問題

(1) 이야기할 만한 재료나 소재 → (①)

(2) 어린이를 위하여 동심을 바탕으로 지은 이야기 → (③)

6 다음 문장에 어울리는 한자어가 되도록 [ ] 안에 알맞은 한자를 보기에서 찾아 그 번호를 쓰세요.

보기 ① 主 ② 題 ③ 問 ④ 話

(1) 그리스·로마 神[ ]에 관한 책을 재미있게 읽었습니다. → (④)

(2) 우리는 신문 기사를 話[ ]로 삼아 이야기를 나눴습니다. → (②)

42 • 똑똑한 하루 한자 4단계-A 1주 • 43

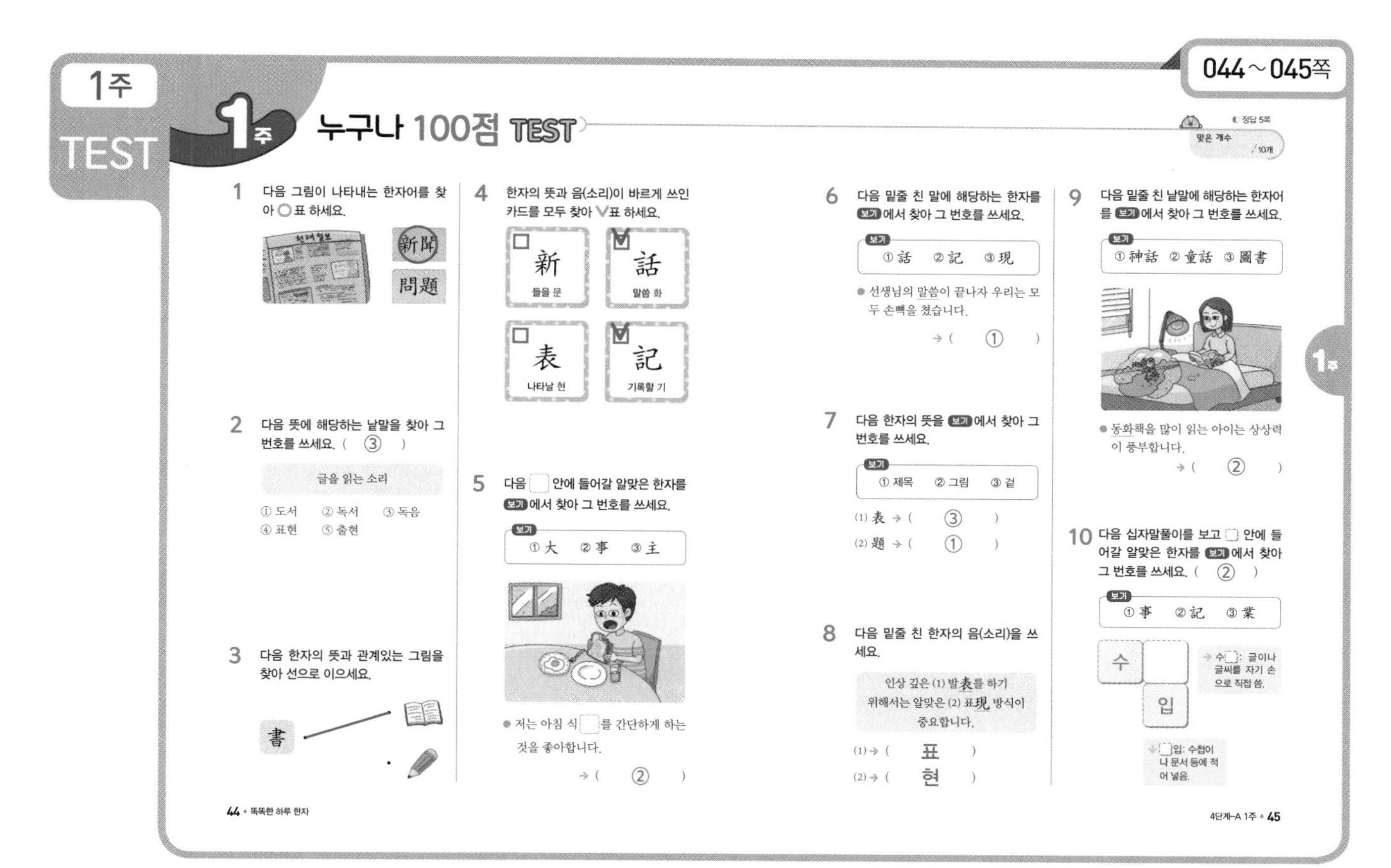

1주 TEST
044~045쪽
1주 누구나 100점 TEST
1 다음 그림이 나타내는 한자어를 찾아 ○표 하세요.
新聞
問題
2 다음 뜻에 해당하는 낱말을 찾아 그 번호를 쓰세요. (③)
글을 읽는 소리
① 도서 ② 독서 ③ 독음 ④ 표현 ⑤ 출현
3 다음 한자의 뜻과 관계있는 그림을 찾아 선으로 이으세요.
書
4 한자의 뜻과 음(소리)이 바르게 쓰인 카드를 모두 찾아 ∨표 하세요.
新 들을 문
話 말씀 화
表 나타날 현
記 기록할 기
5 다음 안에 들어갈 알맞은 한자를 보기에서 찾아 그 번호를 쓰세요.
① 大 ② 事 ③ 主
저는 아침 식 를 간단하게 하는 것을 좋아합니다.
→ (②)
6 다음 밑줄 친 말에 해당하는 한자를 보기에서 찾아 그 번호를 쓰세요.
① 話 ② 記 ③ 現
선생님의 말씀이 끝나자 우리는 모두 손뼉을 쳤습니다.
→ (①)
7 다음 한자의 뜻을 보기에서 찾아 그 번호를 쓰세요.
① 제목 ② 그림 ③ 겉
(1) 表 → (③)
(2) 題 → (①)
8 다음 밑줄 친 한자의 음(소리)을 쓰세요.
인상 깊은 (1) 발表를 하기 위해서는 알맞은 (2) 表現 방식이 중요합니다.
(1) → (표)
(2) → (현)
9 다음 밑줄 친 낱말에 해당하는 한자어를 보기에서 찾아 그 번호를 쓰세요.
① 神話 ② 童話 ③ 圖書
동화책을 많이 읽는 아이는 상상력이 풍부합니다.
→ (②)
10 다음 십자말풀이를 보고 안에 들어갈 알맞은 한자를 보기에서 찾아 그 번호를 쓰세요. (②)
① 事 ② 記 ③ 業
수
입
→수: 글이나 글씨를 자기 손으로 직접 씀.
↓입: 수첩이나 문서 등에 적어 넣음.
44 똑똑한 하루 한자
4단계-A 1주 45

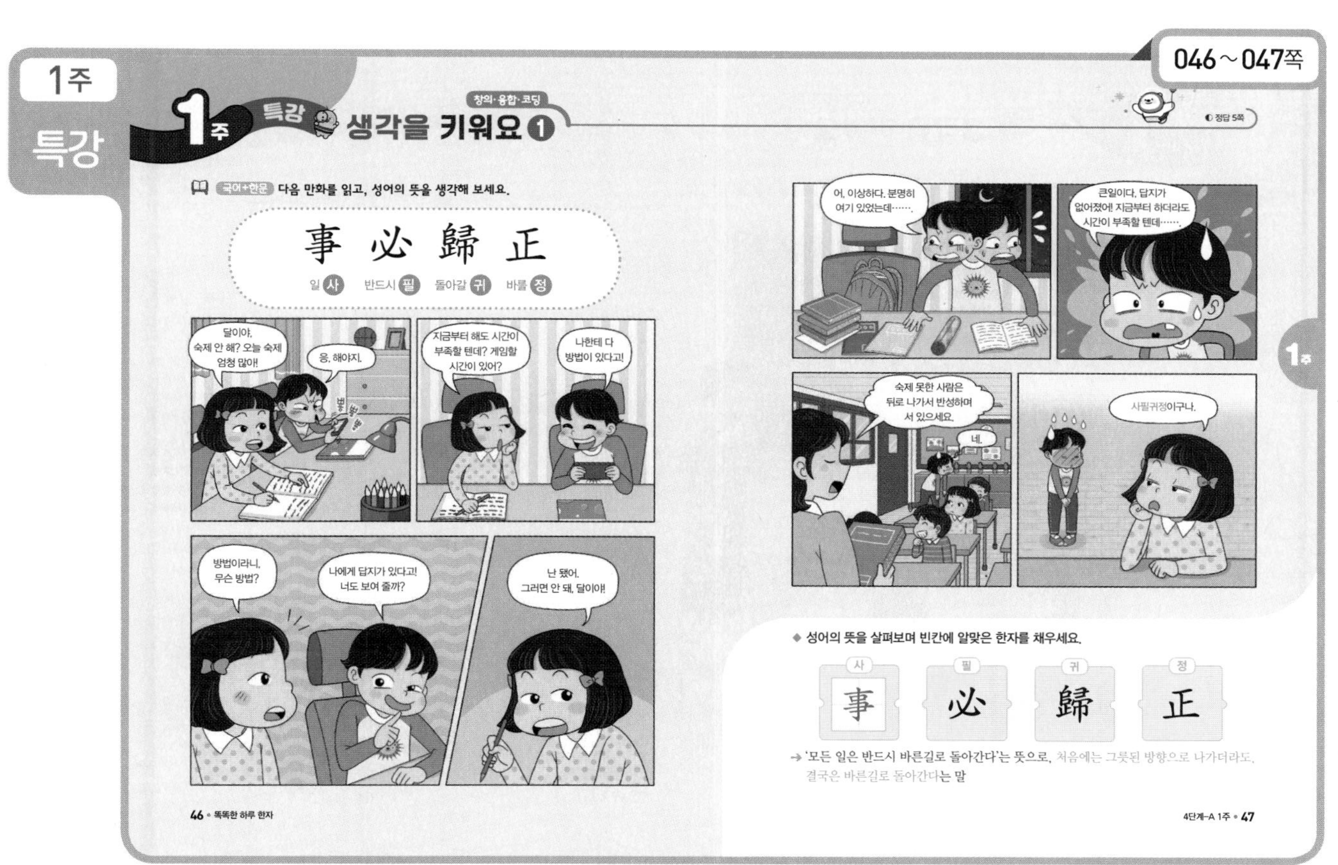

1주 특강
046~047쪽
1주 특강 창의·융합·코딩 생각을 키워요 1
국어+한문 다음 만화를 읽고, 성어의 뜻을 생각해 보세요.
事 必 歸 正
일 사 반드시 필 돌아갈 귀 바를 정
달이야, 숙제 안 해? 오늘 숙제 엄청 많아!
응, 해야지.
지금부터 해도 시간이 부족할 텐데? 게임할 시간이 있어?
나한테 다 방법이 있다고!
방법이라니, 무슨 방법?
나에게 답지가 있다고! 너도 보여 줄까?
난 됐어. 그러면 안 돼, 달이야!
어, 이상하다. 분명히 여기 있었는데…….
큰일이다. 답지가 없어졌네! 지금부터 하더라도 시간이 부족할 텐데……
숙제 못한 사람은 뒤로 나가서 반성하며 서 있으세요.
네.
사필귀정이구나.
◆ 성어의 뜻을 살펴보며 빈칸에 알맞은 한자를 채우세요.
사 필 귀 정
事 必 歸 正
→ '모든 일은 반드시 바른길로 돌아간다'는 뜻으로, 처음에는 그릇된 방향으로 나가더라도 결국은 바른길로 돌아간다는 말
46 똑똑한 하루 한자
4단계-A 1주 47

048~049쪽

1주 특강

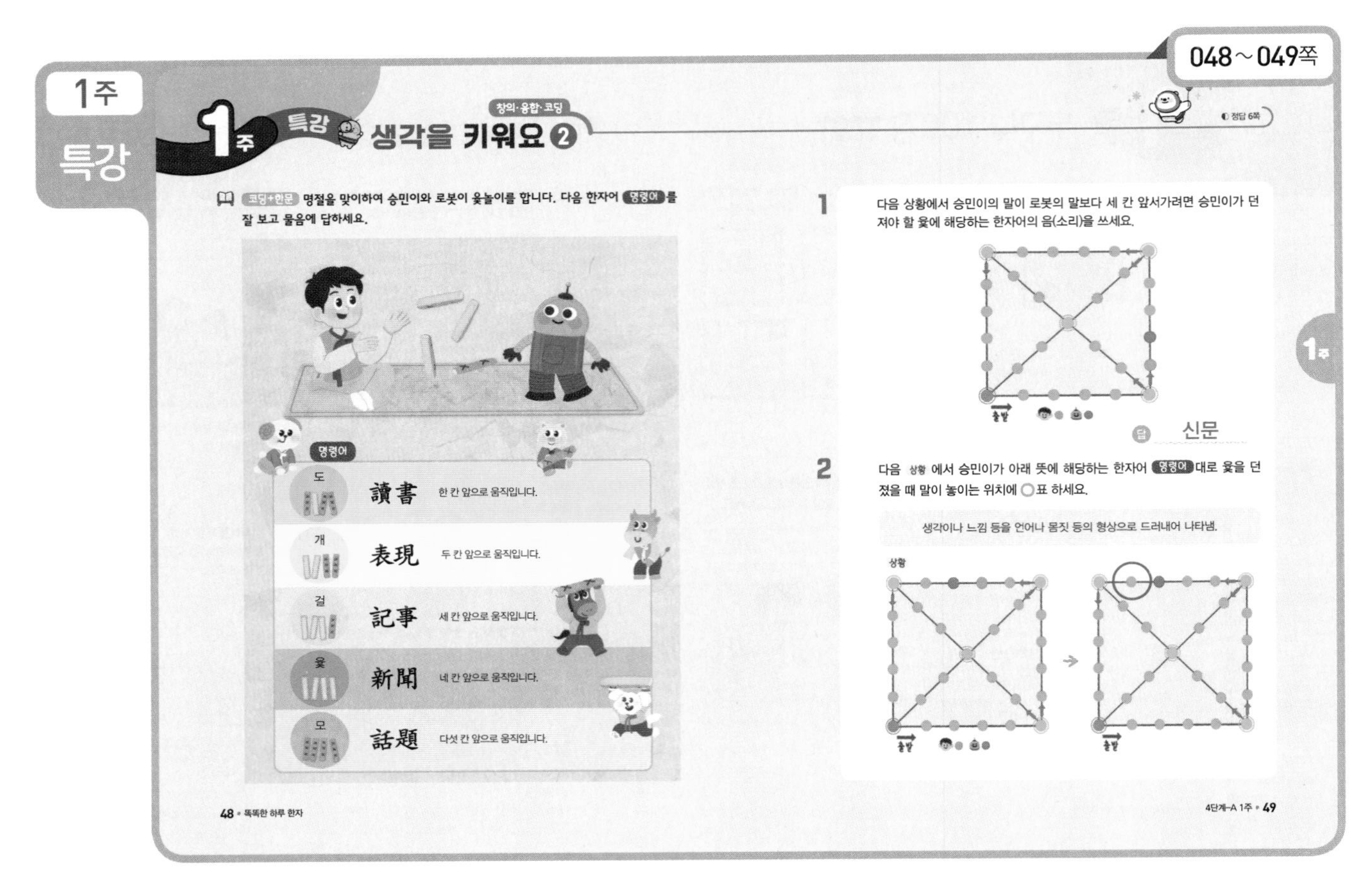

050~051쪽

1주 특강

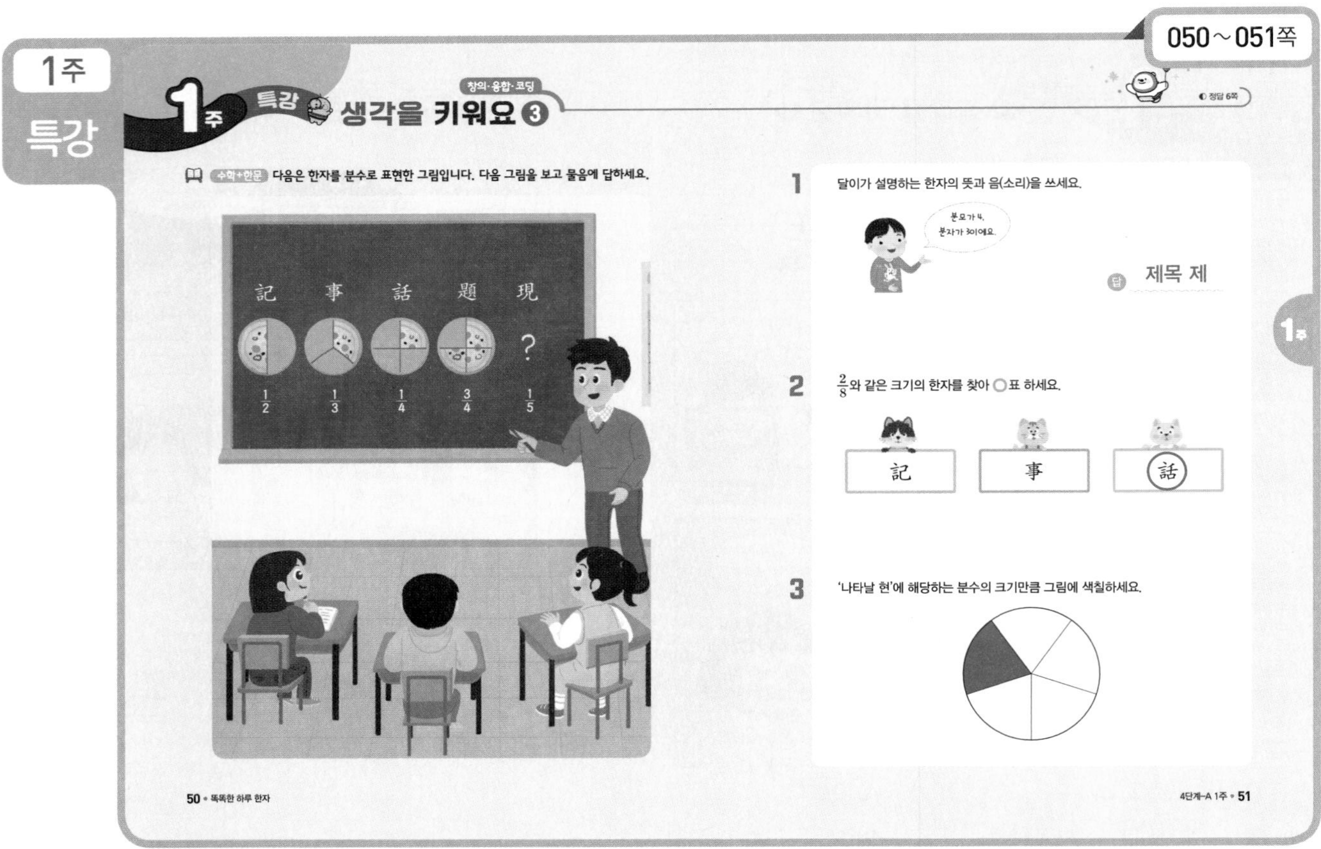

2주 도입

054~055쪽

2주

2주에는 무엇을 공부할까? ❷

정답 7쪽

✪ 이번 주에 배울 한자가 그림 속에 숨어 있어요. 보기 속 한자를 순서대로 따라가 헨젤과 그레텔이 집에 무사히 도착할 수 있게 해 주세요.

보기
飮 마실 음 → 食 밥/먹을 식 → 藥 약 약 → 果 실과 과 → 窓 창 창 → 口 입 구 → 堂 집 당 → 室 집 실 → 車 수레 거/차 → 線 줄 선

54 • 똑똑한 하루 한자

4단계-A 2주 • 55

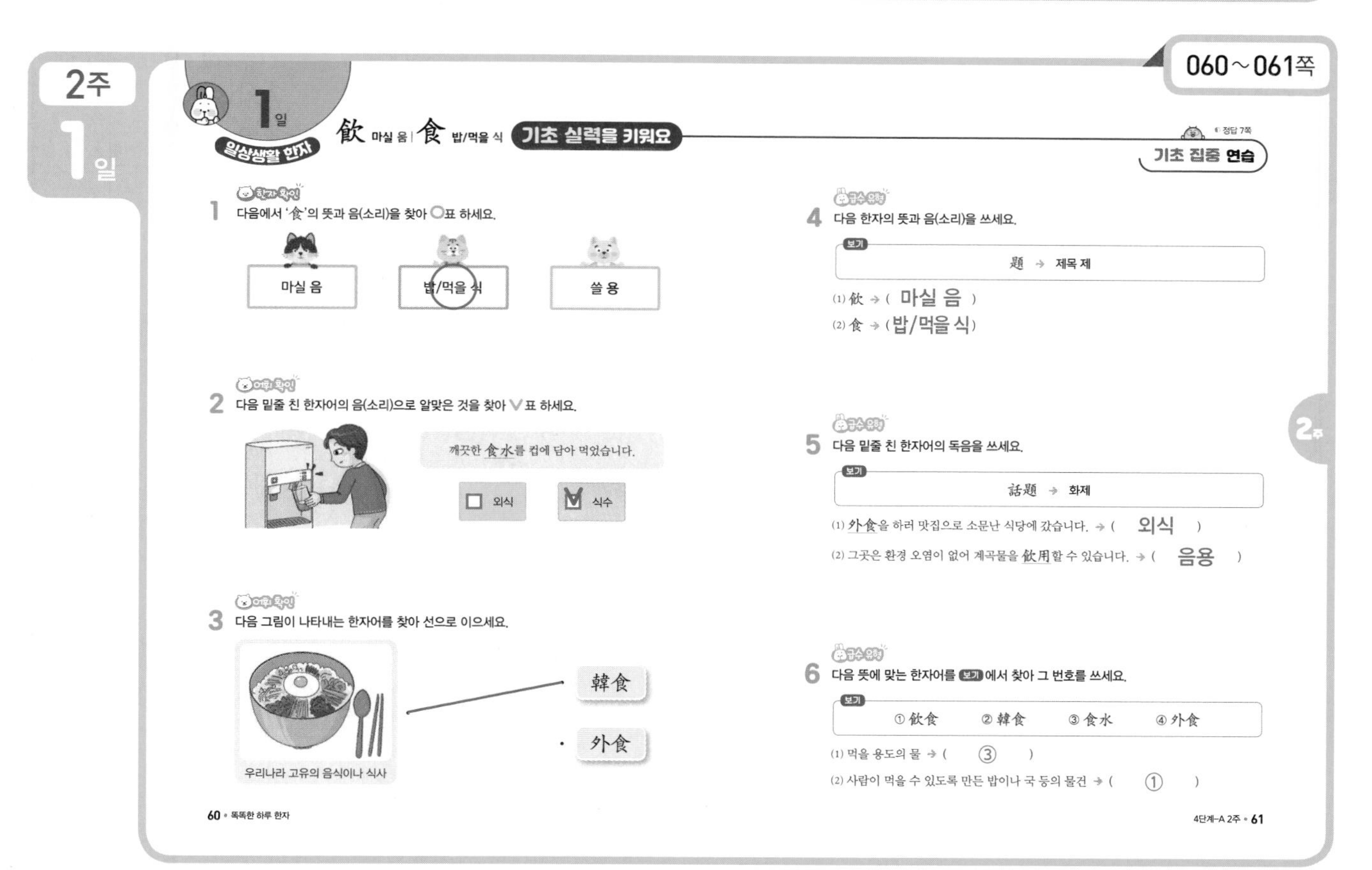

2주 1일

060~061쪽

1일 일상생활 한자

飮 마실 음 | 食 밥/먹을 식 기초 실력을 키워요

정답 7쪽

기초 집중 연습

한자 확인

1 다음에서 '食'의 뜻과 음(소리)을 찾아 ○표 하세요.

마실 음	밥/먹을 식 (○)	쓸 용

어휘 확인

2 다음 밑줄 친 한자어의 음(소리)으로 알맞은 것을 찾아 ∨표 하세요.

깨끗한 食水를 컵에 담아 먹었습니다.

☐ 외식　☑ 식수

어휘 확인

3 다음 그림이 나타내는 한자어를 찾아 선으로 이으세요.

우리나라 고유의 음식이나 식사 — 韓食

外食

급수 유형

4 다음 한자의 뜻과 음(소리)을 쓰세요.

보기
題 → 제목 제

(1) 飮 → (마실 음)

(2) 食 → (밥/먹을 식)

급수 유형

5 다음 밑줄 친 한자어의 독음을 쓰세요.

보기
話題 → 화제

(1) 外食을 하러 맛집으로 소문난 식당에 갔습니다. → (외식)

(2) 그곳은 환경 오염이 없어 계곡물을 飮用할 수 있습니다. → (음용)

급수 유형

6 다음 뜻에 맞는 한자어를 보기에서 찾아 그 번호를 쓰세요.

보기
① 飮食　② 韓食　③ 食水　④ 外食

(1) 먹을 용도의 물 → (③)

(2) 사람이 먹을 수 있도록 만든 밥이나 국 등의 물건 → (①)

60 • 똑똑한 하루 한자

4단계-A 2주 • 61

정답

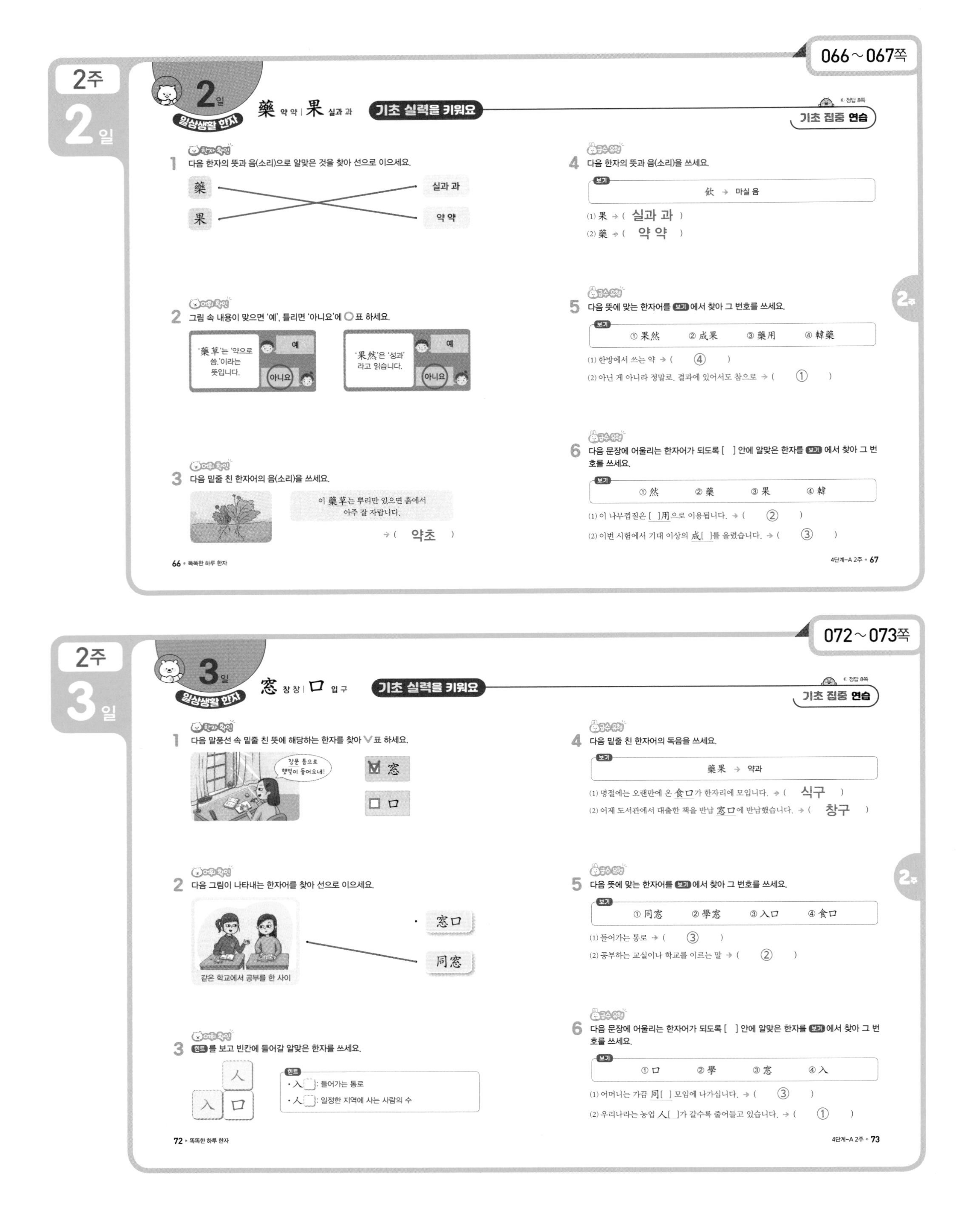

066~067쪽

2주 2일

2일 일상생활 한자 藥 약 약 | 果 실과 과 기초 실력을 키워요

정답 8쪽

기초 집중 연습

1 다음 한자의 뜻과 음(소리)으로 알맞은 것을 찾아 선으로 이으세요.

藥 — 약 약
果 — 실과 과

2 그림 속 내용이 맞으면 '예', 틀리면 '아니요'에 ○표 하세요.

'藥草'는 '약으로 씀.'이라는 뜻입니다. 예 / (아니요)

'果然'은 '성과'라고 읽습니다. 예 / (아니요)

3 다음 밑줄 친 한자어의 음(소리)을 쓰세요.

이 藥草는 뿌리만 있으면 흙에서 아주 잘 자랍니다.

→ (약초)

4 다음 한자의 뜻과 음(소리)을 쓰세요.

보기: 飮 → 마실 음

(1) 果 → (실과 과)

(2) 藥 → (약 약)

5 다음 뜻에 맞는 한자어를 보기에서 찾아 그 번호를 쓰세요.

보기: ① 果然 ② 成果 ③ 藥用 ④ 韓藥

(1) 한방에서 쓰는 약 → (④)

(2) 아닌 게 아니라 정말로. 결과에 있어서도 참으로 → (①)

6 다음 문장에 어울리는 한자어가 되도록 [ ] 안에 알맞은 한자를 보기에서 찾아 그 번호를 쓰세요.

보기: ① 然 ② 藥 ③ 果 ④ 韓

(1) 이 나무껍질은 [ ]用으로 이용됩니다. → (②)

(2) 이번 시험에서 기대 이상의 成[ ]를 올렸습니다. → (③)

66 • 똑똑한 하루 한자 4단계-A 2주 • 67

072~073쪽

2주 3일

3일 일상생활 한자 窓 창 창 | 口 입 구 기초 실력을 키워요

정답 8쪽

기초 집중 연습

1 다음 말풍선 속 밑줄 친 뜻에 해당하는 한자를 찾아 V표 하세요.

창문 틈으로 햇빛이 들어오네!

☑ 窓 ☐ 口

2 다음 그림이 나타내는 한자어를 찾아 선으로 이으세요.

같은 학교에서 공부를 한 사이 — 同窓

窓口

3 힌트를 보고 빈칸에 들어갈 알맞은 한자를 쓰세요.

人 / 入 口

힌트
• 入☐: 들어가는 통로
• 人☐: 일정한 지역에 사는 사람의 수

4 다음 밑줄 친 한자어의 독음을 쓰세요.

보기: 藥果 → 약과

(1) 명절에는 오랜만에 온 食口가 한자리에 모입니다. → (식구)

(2) 어제 도서관에서 대출한 책을 반납 窓口에 반납했습니다. → (창구)

5 다음 뜻에 맞는 한자어를 보기에서 찾아 그 번호를 쓰세요.

보기: ① 同窓 ② 學窓 ③ 入口 ④ 食口

(1) 들어가는 통로 → (③)

(2) 공부하는 교실이나 학교를 이르는 말 → (②)

6 다음 문장에 어울리는 한자어가 되도록 [ ] 안에 알맞은 한자를 보기에서 찾아 그 번호를 쓰세요.

보기: ① 口 ② 學 ③ 窓 ④ 入

(1) 어머니는 가끔 同[ ] 모임에 나가십니다. → (③)

(2) 우리나라는 농업 人[ ]가 갈수록 줄어들고 있습니다. → (①)

72 • 똑똑한 하루 한자 4단계-A 2주 • 73

2주 4일

078~079쪽

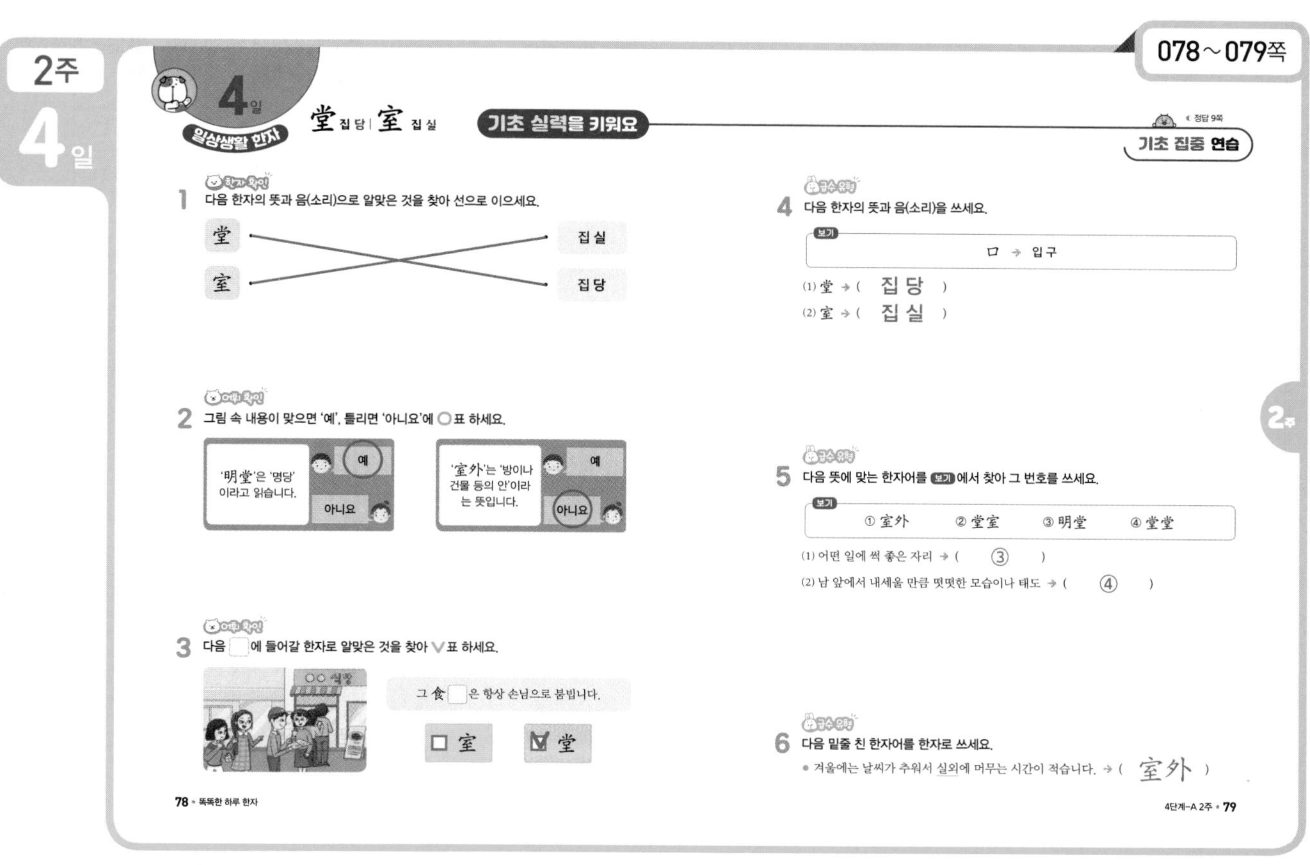

4일 일상생활 한자

堂 집 당 | 室 집 실 기초 실력을 키워요

정답 9쪽

기초 집중 연습

1 다음 한자의 뜻과 음(소리)으로 알맞은 것을 찾아 선으로 이으세요.

堂 — 집 당

室 — 집 실

2 그림 속 내용이 맞으면 '예', 틀리면 '아니요'에 ○표 하세요.

'明堂'은 '명당'이라고 읽습니다. (예)

'室外'는 '방이나 건물 등의 안'이라는 뜻입니다. (아니요)

3 다음 □에 들어갈 한자로 알맞은 것을 찾아 ∨표 하세요.

그 食□은 항상 손님으로 붐빕니다.

□ 室 ☑ 堂

4 다음 한자의 뜻과 음(소리)을 쓰세요.

보기: 口 → 입 구

(1) 堂 → (집 당)

(2) 室 → (집 실)

5 다음 뜻에 맞는 한자어를 보기에서 찾아 그 번호를 쓰세요.

보기: ① 室外 ② 堂室 ③ 明堂 ④ 堂堂

(1) 어떤 일에 썩 좋은 자리 → (③)

(2) 남 앞에서 내세울 만큼 떳떳한 모습이나 태도 → (④)

6 다음 밑줄 친 한자어를 한자로 쓰세요.

• 겨울에는 날씨가 추워서 실외에 머무는 시간이 적습니다. → (室外)

78 • 똑똑한 하루 한자

4단계-A 2주 • 79

2주 5일

084~085쪽

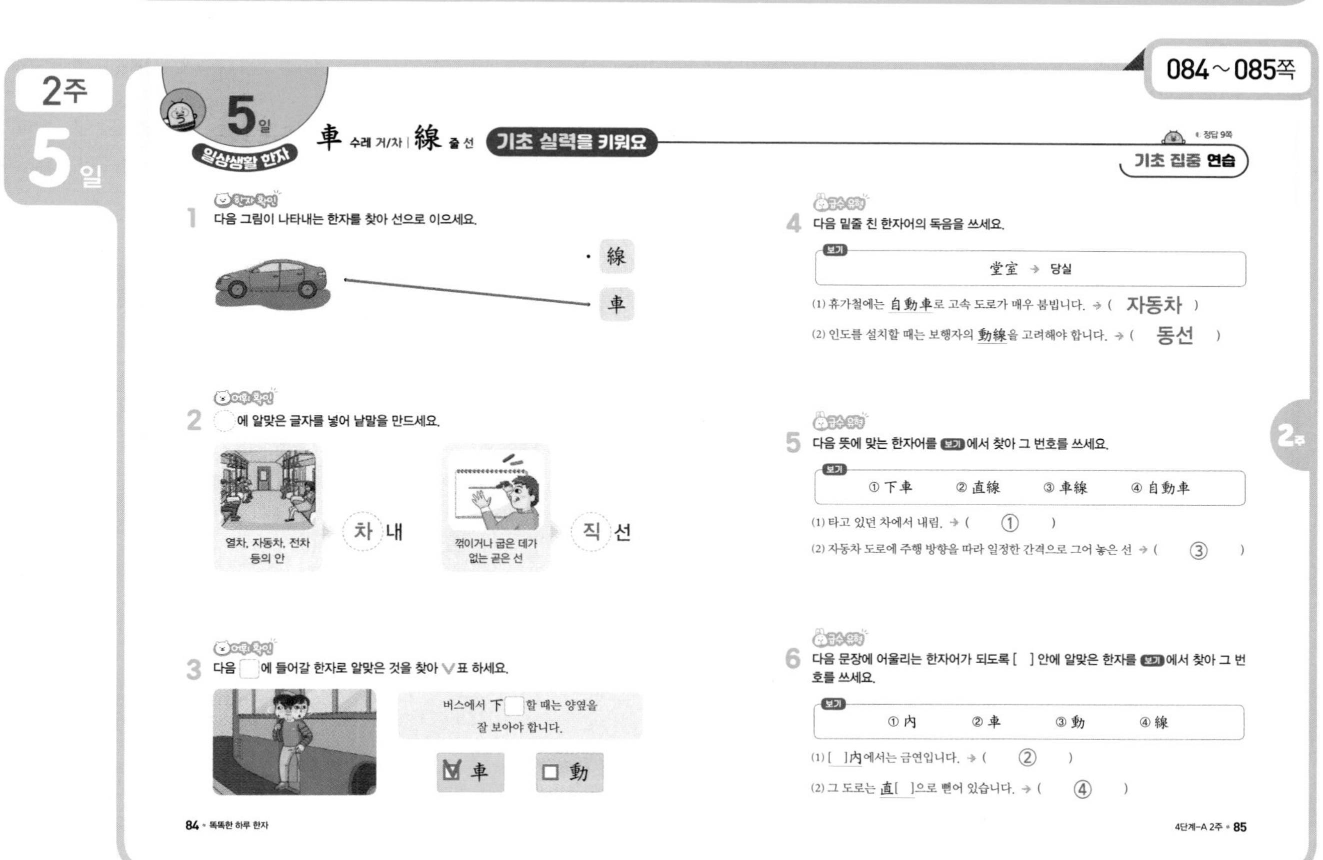

5일 일상생활 한자

車 수레 거/차 | 線 줄 선 기초 실력을 키워요

정답 9쪽

기초 집중 연습

1 다음 그림이 나타내는 한자를 찾아 선으로 이으세요.

(자동차 그림) — 車

線

2 ○에 알맞은 글자를 넣어 낱말을 만드세요.

열차, 자동차, 전차 등의 안 → (차)내

꺾이거나 굽은 데가 없는 곧은 선 → (직)선

3 다음 □에 들어갈 한자로 알맞은 것을 찾아 ∨표 하세요.

버스에서 下□할 때는 양옆을 잘 보아야 합니다.

☑ 車 □ 動

4 다음 밑줄 친 한자어의 독음을 쓰세요.

보기: 堂室 → 당실

(1) 휴가철에는 自動車로 고속 도로가 매우 붐빕니다. → (자동차)

(2) 인도를 설치할 때는 보행자의 動線을 고려해야 합니다. → (동선)

5 다음 뜻에 맞는 한자어를 보기에서 찾아 그 번호를 쓰세요.

보기: ① 下車 ② 直線 ③ 車線 ④ 自動車

(1) 타고 있던 차에서 내림. → (①)

(2) 자동차 도로에 주행 방향을 따라 일정한 간격으로 그어 놓은 선 → (③)

6 다음 문장에 어울리는 한자어가 되도록 [ ] 안에 알맞은 한자를 보기에서 찾아 그 번호를 쓰세요.

보기: ① 內 ② 車 ③ 動 ④ 線

(1) [ ]內에서는 금연입니다. → (②)

(2) 그 도로는 直[ ]으로 뻗어 있습니다. → (④)

84 • 똑똑한 하루 한자

4단계-A 2주 • 85

2주 TEST

086~087쪽

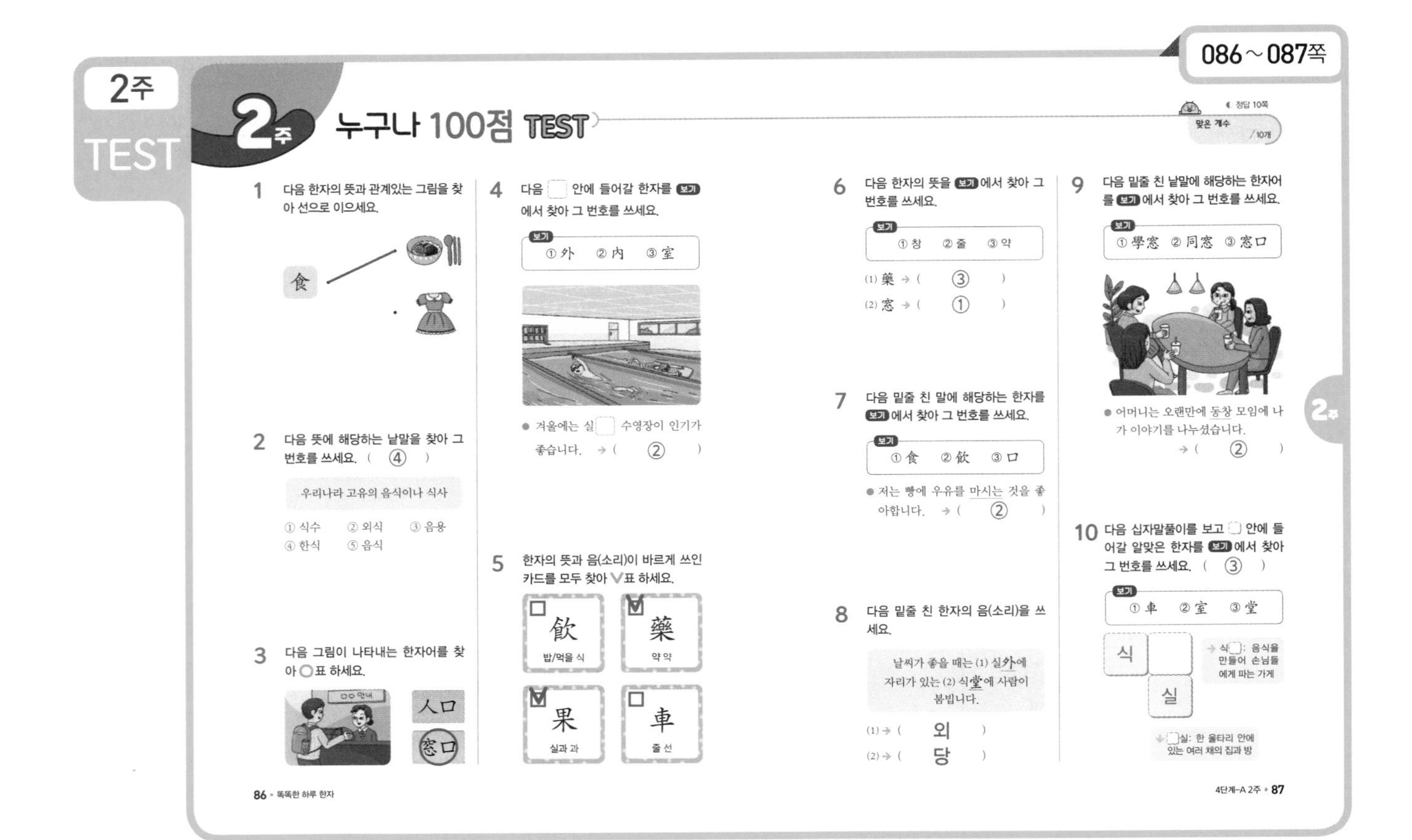

2주 특강

088~089쪽

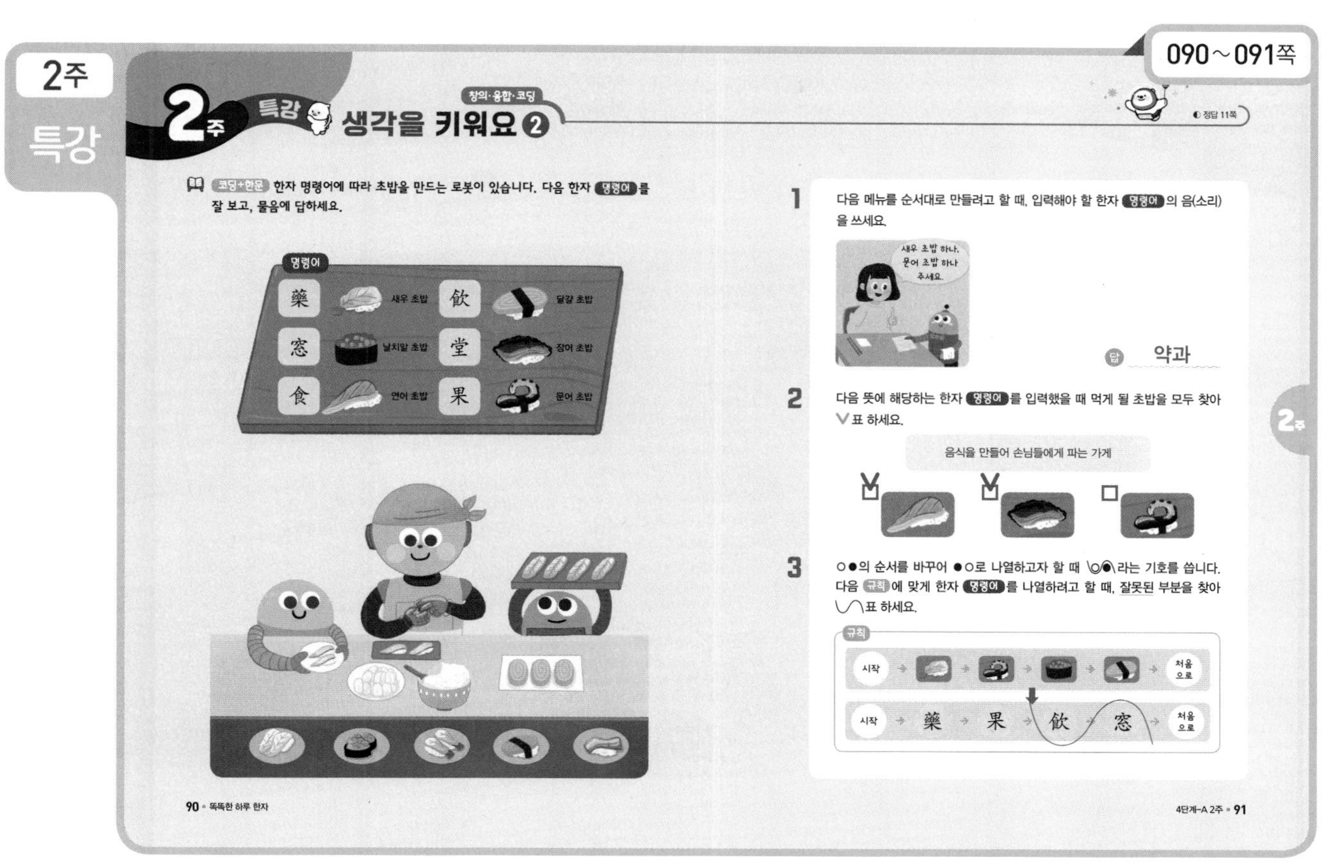
2주 특강

090～091쪽

2주 특강 생각을 키워요 ②

창의·융합·코딩

◐ 정답 11쪽

코딩+한문 한자 명령어에 따라 초밥을 만드는 로봇이 있습니다. 다음 한자 명령어를 잘 보고, 물음에 답하세요.

1 다음 메뉴를 순서대로 만들려고 할 때, 입력해야 할 한자 명령어의 음(소리)을 쓰세요.

답 약과

2 다음 뜻에 해당하는 한자 명령어를 입력했을 때 먹게 될 초밥을 모두 찾아 V표 하세요.

음식을 만들어 손님들에게 파는 가게

3 ○●의 순서를 바꾸어 ●○로 나열하고자 할 때 \○●\라는 기호를 씁니다. 다음 규칙에 맞게 한자 명령어를 나열하려고 할 때, 잘못된 부분을 찾아 \/\표 하세요.

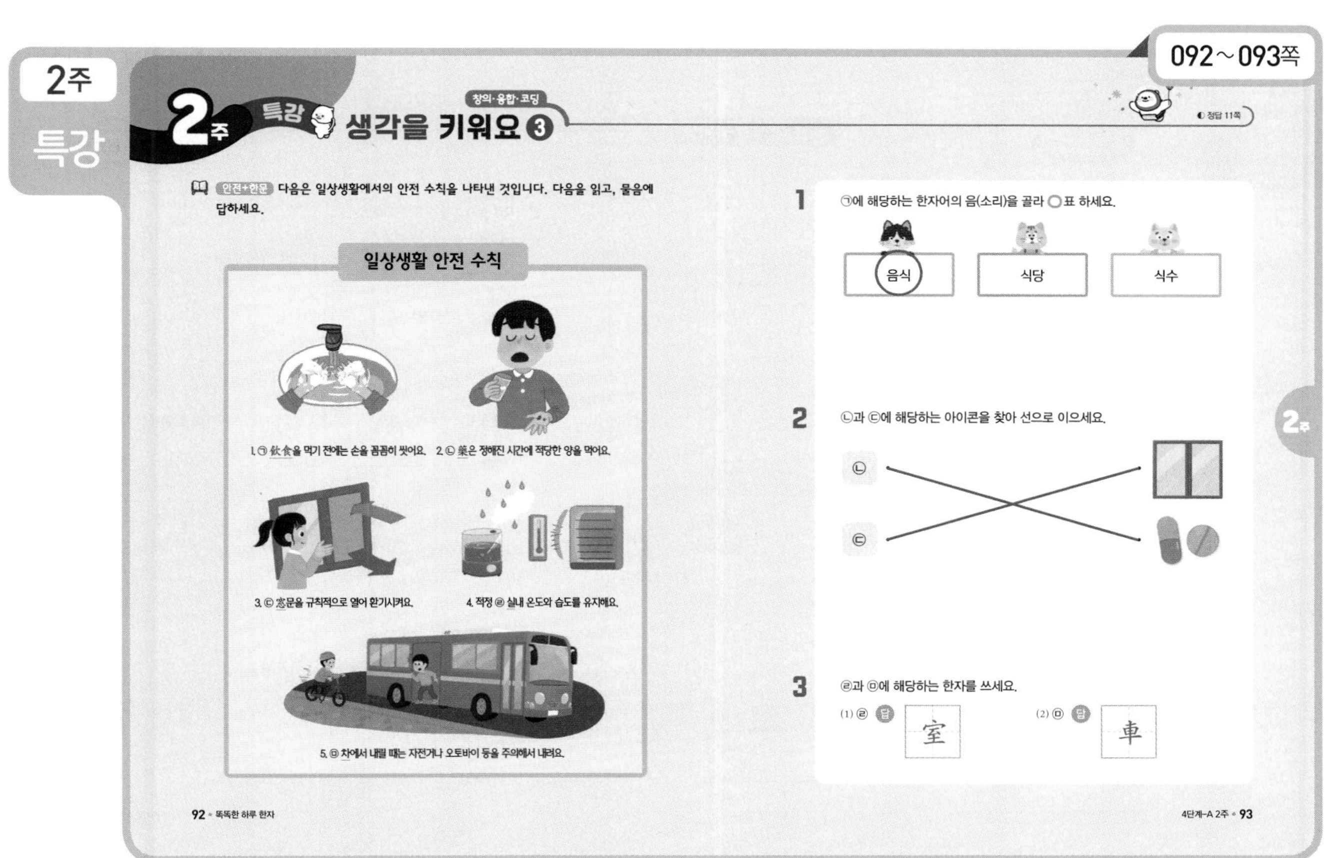
2주 특강

092～093쪽

2주 특강 생각을 키워요 ③

창의·융합·코딩

◐ 정답 11쪽

안전+한문 다음은 일상생활에서의 안전 수칙을 나타낸 것입니다. 다음을 읽고, 물음에 답하세요.

일상생활 안전 수칙

1. ㉠ 飮食을 먹기 전에는 손을 꼼꼼히 씻어요.
2. ㉡ 藥은 정해진 시간에 적당한 양을 먹어요.
3. ㉢ 窓문을 규칙적으로 열어 환기시켜요.
4. 적정 ㉣ 실내 온도와 습도를 유지해요.
5. ㉤ 차에서 내릴 때는 자전거나 오토바이 등을 주의해서 내려요.

1 ㉠에 해당하는 한자어의 음(소리)을 골라 ○표 하세요.

음식 / 식당 / 식수

2 ㉡과 ㉢에 해당하는 아이콘을 찾아 선으로 이으세요.

㉡

㉢

3 ㉣과 ㉤에 해당하는 한자를 쓰세요.

(1) ㉣ 답 室

(2) ㉤ 답 車

096~097쪽

3주 도입

102~103쪽

3주 1일

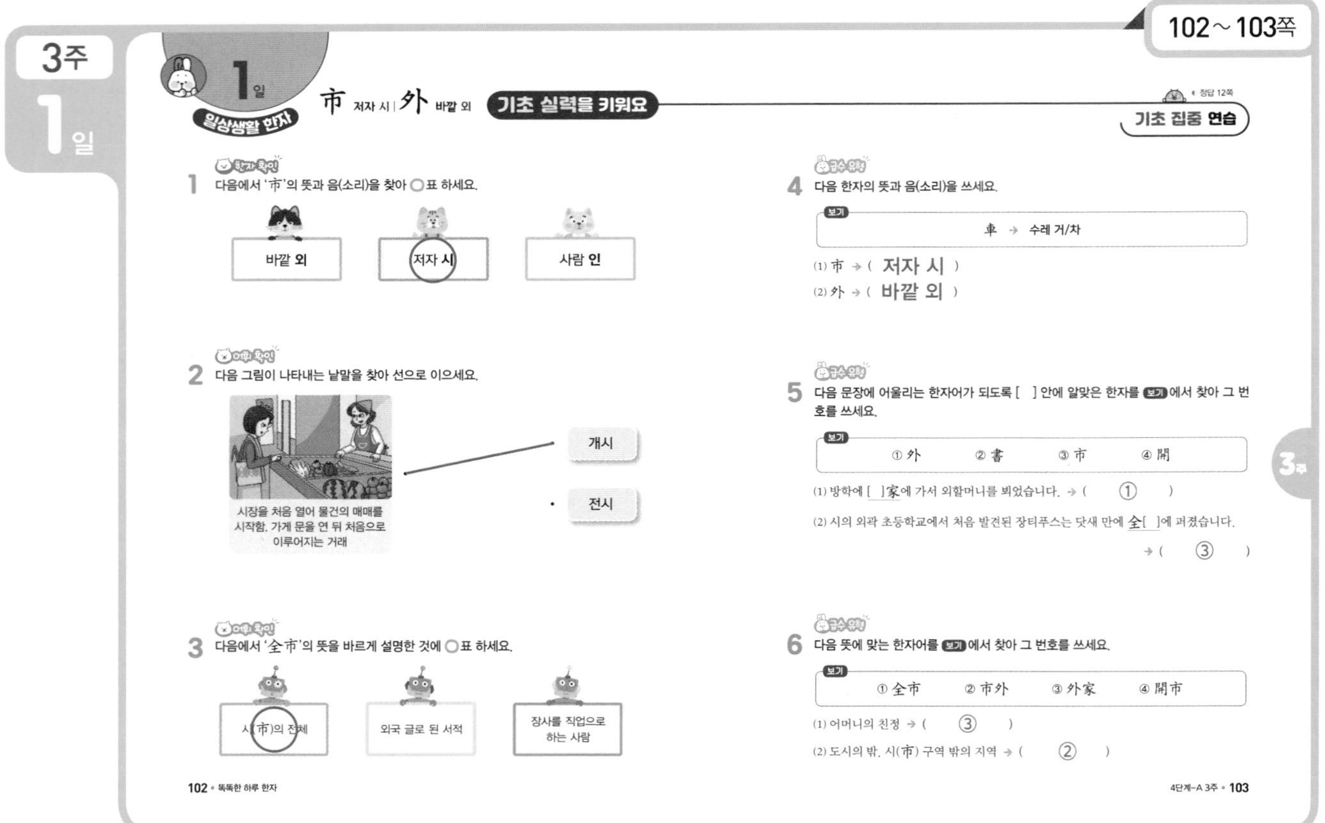

1일 일상생활 한자
市 저자 시 | 外 바깥 외
기초 실력을 키워요
정답 12쪽
기초 집중 연습
1 다음에서 '市'의 뜻과 음(소리)을 찾아 ○표 하세요.
바깥 외
저자 시
사람 인
2 다음 그림이 나타내는 낱말을 찾아 선으로 이으세요.
시장을 처음 열어 물건의 매매를 시작함. 가게 문을 연 뒤 처음으로 이루어지는 거래
개시
전시
3 다음에서 '全市'의 뜻을 바르게 설명한 것에 ○표 하세요.
시(市)의 전체
외국 글로 된 서적
장사를 직업으로 하는 사람
4 다음 한자의 뜻과 음(소리)을 쓰세요.
보기 車 → 수레 거/차
(1) 市 → (저자 시)
(2) 外 → (바깥 외)
5 다음 문장에 어울리는 한자어가 되도록 [ ] 안에 알맞은 한자를 보기에서 찾아 그 번호를 쓰세요.
보기 ① 外 ② 書 ③ 市 ④ 開
(1) 방학에 [ ]家에 가서 외할머니를 뵈었습니다. → (①)
(2) 시의 외곽 초등학교에서 처음 발견된 장티푸스는 닷새 만에 全[ ]에 퍼졌습니다. → (③)
6 다음 뜻에 맞는 한자어를 보기에서 찾아 그 번호를 쓰세요.
보기 ① 全市 ② 市外 ③ 外家 ④ 開市
(1) 어머니의 친정 → (③)
(2) 도시의 밖. 시(市) 구역 밖의 지역 → (②)
102 • 똑똑한 하루 한자
4단계-A 3주 • 103

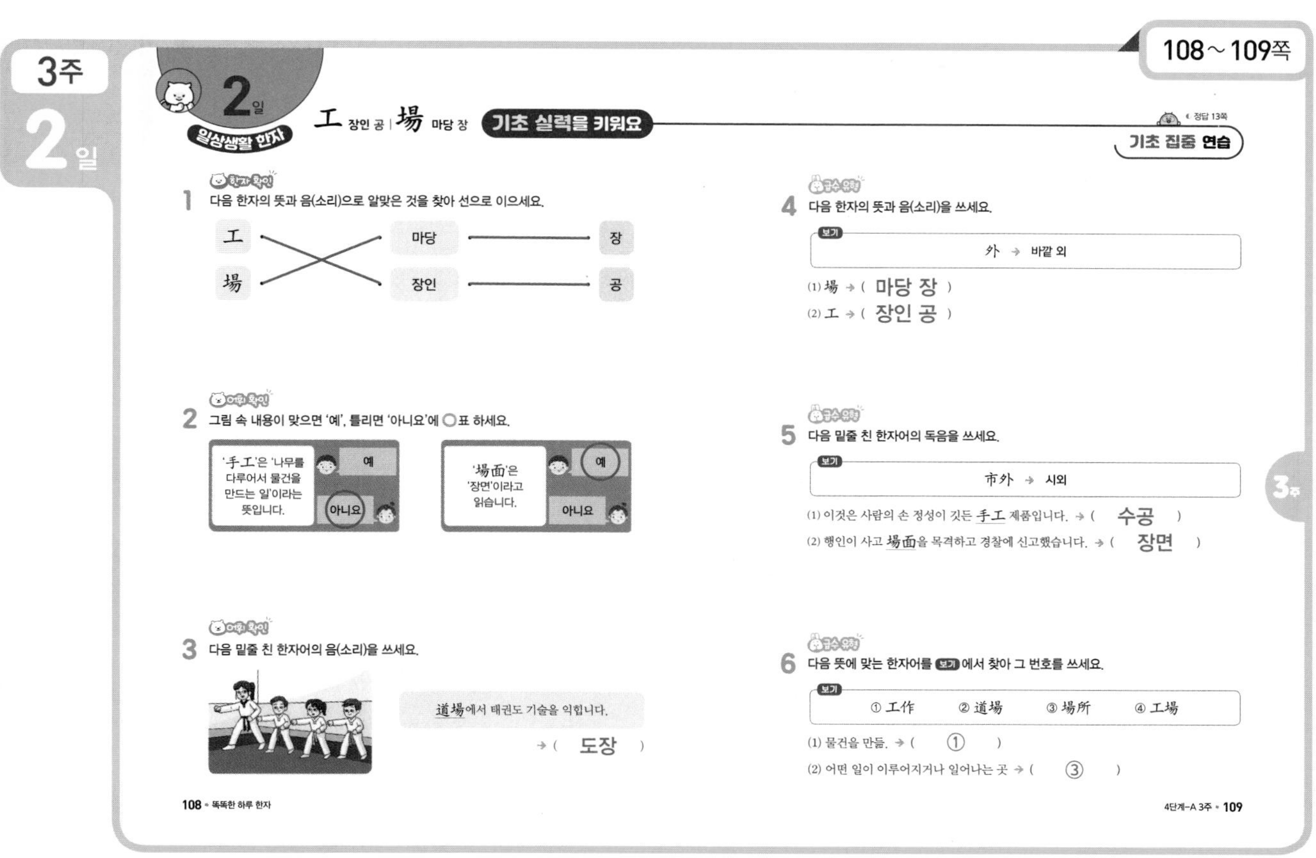

3주 2일

108~109쪽

2일 일상생활 한자

工 장인 공 | 場 마당 장 **기초 실력을 키워요**

정답 13쪽

기초 집중 연습

1 다음 한자의 뜻과 음(소리)으로 알맞은 것을 찾아 선으로 이으세요.

工 — 장인 — 공

場 — 마당 — 장

2 그림 속 내용이 맞으면 '예', 틀리면 '아니요'에 ○표 하세요.

'手工'은 '나무를 다루어서 물건을 만드는 일'이라는 뜻입니다. 예 / (아니요)

'場面'은 '장면'이라고 읽습니다. (예) / 아니요

3 다음 밑줄 친 한자어의 음(소리)을 쓰세요.

<u>道場</u>에서 태권도 기술을 익힙니다.

→ (도장)

4 다음 한자의 뜻과 음(소리)을 쓰세요.

보기: 外 → 바깥 외

(1) 場 → (마당 장)

(2) 工 → (장인 공)

5 다음 밑줄 친 한자어의 독음을 쓰세요.

보기: 市外 → 시외

(1) 이것은 사람의 손 정성이 깃든 <u>手工</u> 제품입니다. → (수공)

(2) 행인이 사고 <u>場面</u>을 목격하고 경찰에 신고했습니다. → (장면)

6 다음 뜻에 맞는 한자어를 보기에서 찾아 그 번호를 쓰세요.

보기: ① 工作 ② 道場 ③ 場所 ④ 工場

(1) 물건을 만듦. → (①)

(2) 어떤 일이 이루어지거나 일어나는 곳 → (③)

108 • 똑똑한 하루 한자 / 4단계-A 3주 • 109

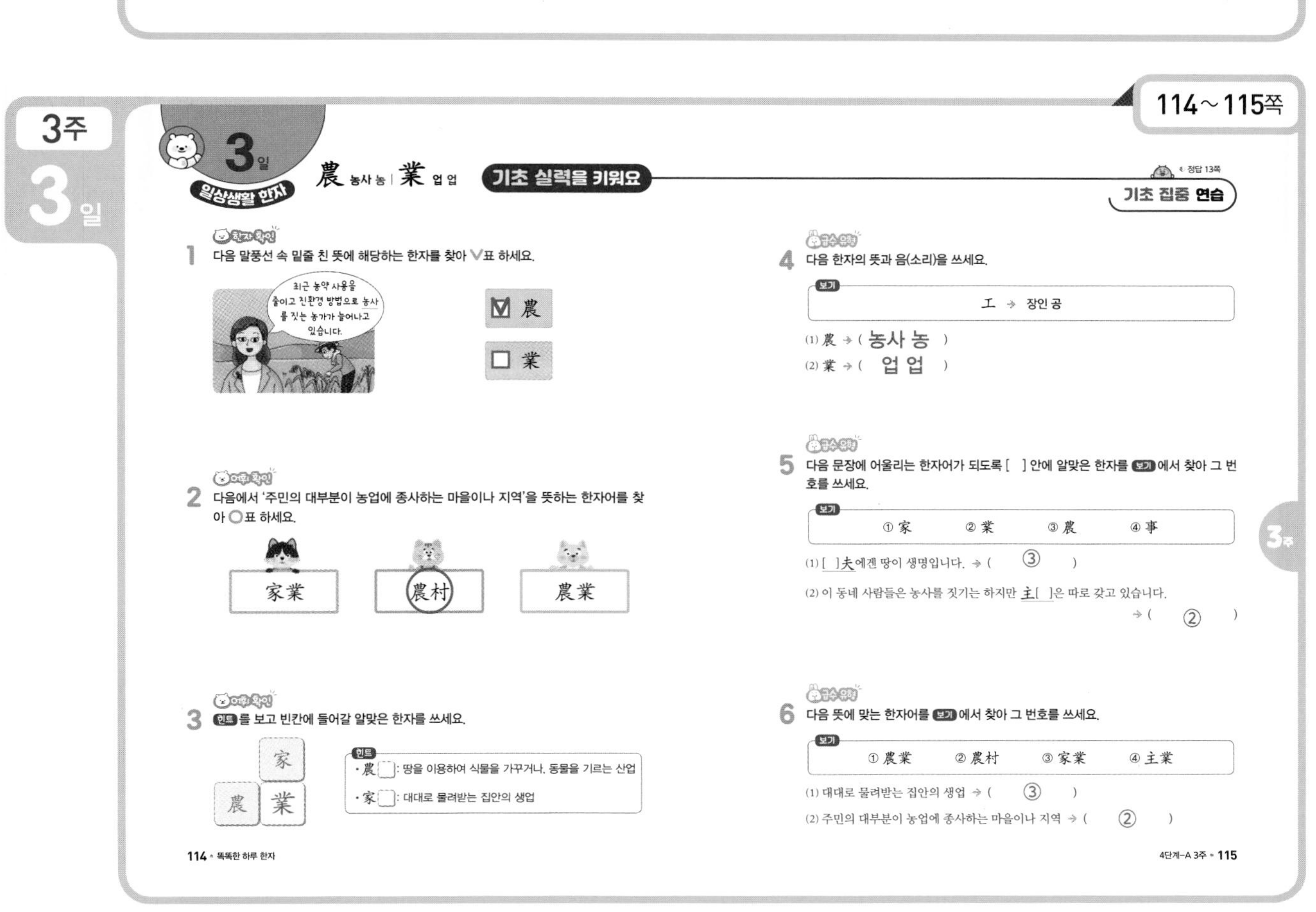

3주 3일

114~115쪽

3일 일상생활 한자

農 농사 농 | 業 업 업 **기초 실력을 키워요**

정답 13쪽

기초 집중 연습

1 다음 말풍선 속 밑줄 친 뜻에 해당하는 한자를 찾아 ∨표 하세요.

최근 농약 사용을 줄이고 친환경 방법으로 농사를 짓는 농가가 늘어나고 있습니다.

☑ 農

☐ 業

2 다음에서 '주민의 대부분이 농업에 종사하는 마을이나 지역'을 뜻하는 한자어를 찾아 ○표 하세요.

家業 / (農村) / 農業

3 힌트를 보고 빈칸에 들어갈 알맞은 한자를 쓰세요.

家 / 農 業

힌트

• 農☐: 땅을 이용하여 식물을 가꾸거나, 동물을 기르는 산업

• 家☐: 대대로 물려받는 집안의 생업

4 다음 한자의 뜻과 음(소리)을 쓰세요.

보기: 工 → 장인 공

(1) 農 → (농사 농)

(2) 業 → (업 업)

5 다음 문장에 어울리는 한자어가 되도록 [ ] 안에 알맞은 한자를 보기에서 찾아 그 번호를 쓰세요.

보기: ① 家 ② 業 ③ 農 ④ 事

(1) [ ]夫에겐 땅이 생명입니다. → (③)

(2) 이 동네 사람들은 농사를 짓기는 하지만 主[ ]은 따로 갖고 있습니다. → (②)

6 다음 뜻에 맞는 한자어를 보기에서 찾아 그 번호를 쓰세요.

보기: ① 農業 ② 農村 ③ 家業 ④ 主業

(1) 대대로 물려받는 집안의 생업 → (③)

(2) 주민의 대부분이 농업에 종사하는 마을이나 지역 → (②)

114 • 똑똑한 하루 한자 / 4단계-A 3주 • 115

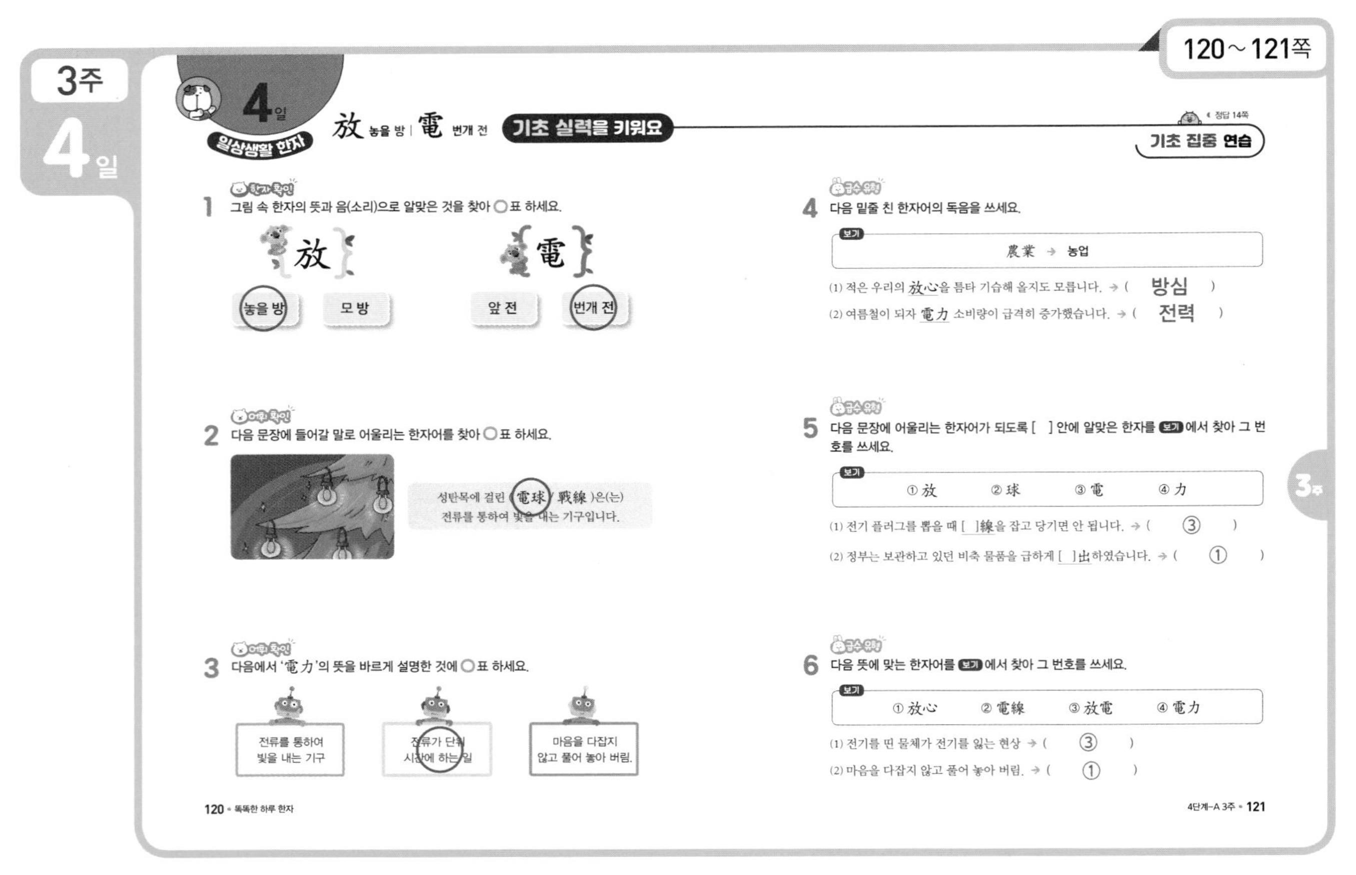
120~121쪽
3주 4일
4일 일상생활 한자
放 놓을 방 | 電 번개 전 기초 실력을 키워요
기초 집중 연습
1 그림 속 한자의 뜻과 음(소리)으로 알맞은 것을 찾아 ○표 하세요.
放
놓을 방
모 방
電
앞 전
번개 전
2 다음 문장에 들어갈 말로 어울리는 한자어를 찾아 ○표 하세요.
성탄목에 걸린 (電球 / 戰線)은(는) 전류를 통하여 빛을 내는 기구입니다.
3 다음에서 '電力'의 뜻을 바르게 설명한 것에 ○표 하세요.
전류를 통하여 빛을 내는 기구
전류가 단위 시간에 하는 일
마음을 다잡지 않고 풀어 놓아 버림.
4 다음 밑줄 친 한자어의 독음을 쓰세요.
農業 → 농업
(1) 적은 우리의 放心을 틈타 기습해 올지도 모릅니다. → (방심)
(2) 여름철이 되자 電力 소비량이 급격히 증가했습니다. → (전력)
5 다음 문장에 어울리는 한자어가 되도록 [ ] 안에 알맞은 한자를 보기에서 찾아 그 번호를 쓰세요.
① 放 ② 球 ③ 電 ④ 力
(1) 전기 플러그를 뽑을 때 [ ]線을 잡고 당기면 안 됩니다. → (③)
(2) 정부는 보관하고 있던 비축 물품을 급하게 [ ]出하였습니다. → (①)
6 다음 뜻에 맞는 한자어를 보기에서 찾아 그 번호를 쓰세요.
① 放心 ② 電線 ③ 放電 ④ 電力
(1) 전기를 띤 물체가 전기를 잃는 현상 → (③)
(2) 마음을 다잡지 않고 풀어 놓아 버림. → (①)
120 • 똑똑한 하루 한자
4단계-A 3주 • 121

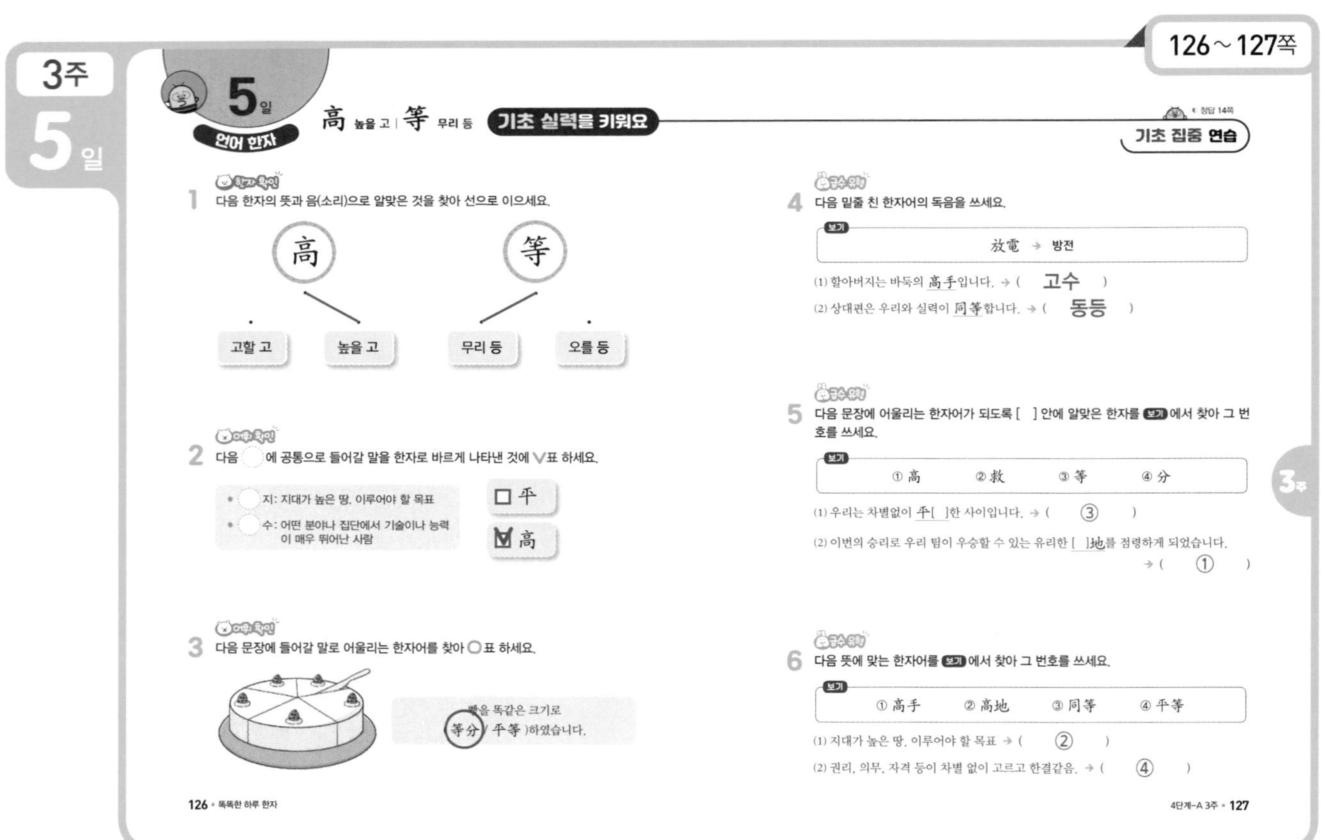
126~127쪽
3주 5일
5일 언어 한자
高 높을 고 | 等 무리 등 기초 실력을 키워요
기초 집중 연습
1 다음 한자의 뜻과 음(소리)으로 알맞은 것을 찾아 선으로 이으세요.
高
等
고할 고
높을 고
무리 등
오를 등
2 다음 ○에 공통으로 들어갈 말을 한자로 바르게 나타낸 것에 V표 하세요.
○지: 지대가 높은 땅. 이루어야 할 목표
○수: 어떤 분야나 집단에서 기술이나 능력이 매우 뛰어난 사람
平
高
3 다음 문장에 들어갈 말로 어울리는 한자어를 찾아 ○표 하세요.
빵을 똑같은 크기로 (等分 / 平等)하였습니다.
4 다음 밑줄 친 한자어의 독음을 쓰세요.
放電 → 방전
(1) 할아버지는 바둑의 高手입니다. → (고수)
(2) 상대편은 우리와 실력이 同等합니다. → (동등)
5 다음 문장에 어울리는 한자어가 되도록 [ ] 안에 알맞은 한자를 보기에서 찾아 그 번호를 쓰세요.
① 高 ② 敎 ③ 等 ④ 分
(1) 우리는 차별없이 平[ ]한 사이입니다. → (③)
(2) 이번의 승리로 우리 팀이 우승할 수 있는 유리한 [ ]地를 점령하게 되었습니다. → (①)
6 다음 뜻에 맞는 한자어를 보기에서 찾아 그 번호를 쓰세요.
① 高手 ② 高地 ③ 同等 ④ 平等
(1) 지대가 높은 땅. 이루어야 할 목표 → (②)
(2) 권리, 의무, 자격 등이 차별 없이 고르고 한결같음. → (④)
126 • 똑똑한 하루 한자
4단계-A 3주 • 127

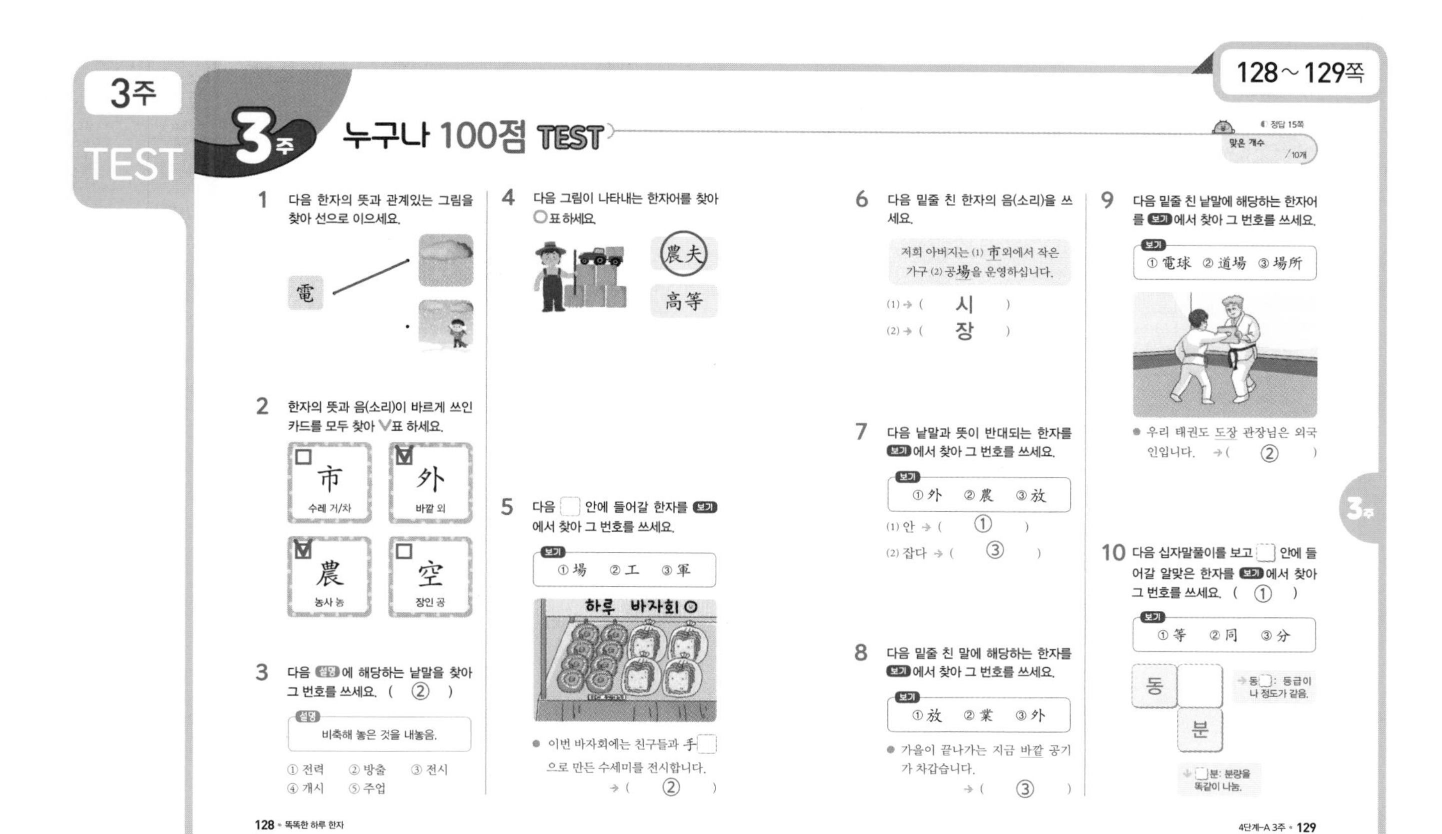

3주 TEST

128~129쪽

3주 누구나 100점 TEST

정답 15쪽 맞은 개수 /10개

1 다음 한자의 뜻과 관계있는 그림을 찾아 선으로 이으세요.

電

2 한자의 뜻과 음(소리)이 바르게 쓰인 카드를 모두 찾아 ✓표 하세요.

카드	뜻과 음	표시
市	수레 거/차	□
外	바깥 외	☑
農	농사 농	☑
空	장인 공	□

3 다음 설명에 해당하는 낱말을 찾아 그 번호를 쓰세요. (②)

설명: 비축해 놓은 것을 내놓음.

① 전력 ② 방출 ③ 전시 ④ 개시 ⑤ 주업

4 다음 그림이 나타내는 한자어를 찾아 ○표 하세요.

(農夫) 高等

5 다음 □ 안에 들어갈 한자를 보기에서 찾아 그 번호를 쓰세요.

보기: ① 場 ② 工 ③ 軍

하루 바자회

● 이번 바자회에는 친구들과 手□으로 만든 수세미를 전시합니다. → (②)

6 다음 밑줄 친 한자의 음(소리)을 쓰세요.

저희 아버지는 (1) 市외에서 작은 가구 (2) 공場을 운영하십니다.

(1) → (시)
(2) → (장)

7 다음 낱말과 뜻이 반대되는 한자를 보기에서 찾아 그 번호를 쓰세요.

보기: ① 外 ② 農 ③ 放

(1) 안 → (①)
(2) 잡다 → (③)

8 다음 밑줄 친 말에 해당하는 한자를 보기에서 찾아 그 번호를 쓰세요.

보기: ① 放 ② 業 ③ 外

● 가을이 끝나가는 지금 바깥 공기가 차갑습니다. → (③)

9 다음 밑줄 친 낱말에 해당하는 한자어를 보기에서 찾아 그 번호를 쓰세요.

보기: ① 電球 ② 道場 ③ 場所

● 우리 태권도 도장 관장님은 외국인입니다. → (②)

10 다음 십자말풀이를 보고 □ 안에 들어갈 알맞은 한자를 보기에서 찾아 그 번호를 쓰세요. (①)

보기: ① 等 ② 同 ③ 分

동 □ / 분

→ 동□: 등급이나 정도가 같음.
↓ □분: 분량을 똑같이 나눔.

128 • 똑똑한 하루 한자 / 4단계-A 3주 • 129

3주 특강

130~131쪽

3주 특강 생각을 키워요 1 (창의·융합·코딩)

정답 15쪽

국어+한문 다음 만화를 읽고, 성어의 뜻을 생각해 보세요.

正心工夫

바를 정 마음 심 장인 공 지아비 부

◆ 성어의 뜻을 살펴보며 빈칸에 알맞은 한자를 채우세요.

정	심	공	부
正	心	工	夫

→ '마음을 바르게 가다듬어 배워 익히는 데 힘쓴다.'라는 뜻으로, 배움에 있어서 바른 마음의 중요성을 이르는 말

130 • 똑똑한 하루 한자 / 4단계-A 3주 • 131

132~133쪽

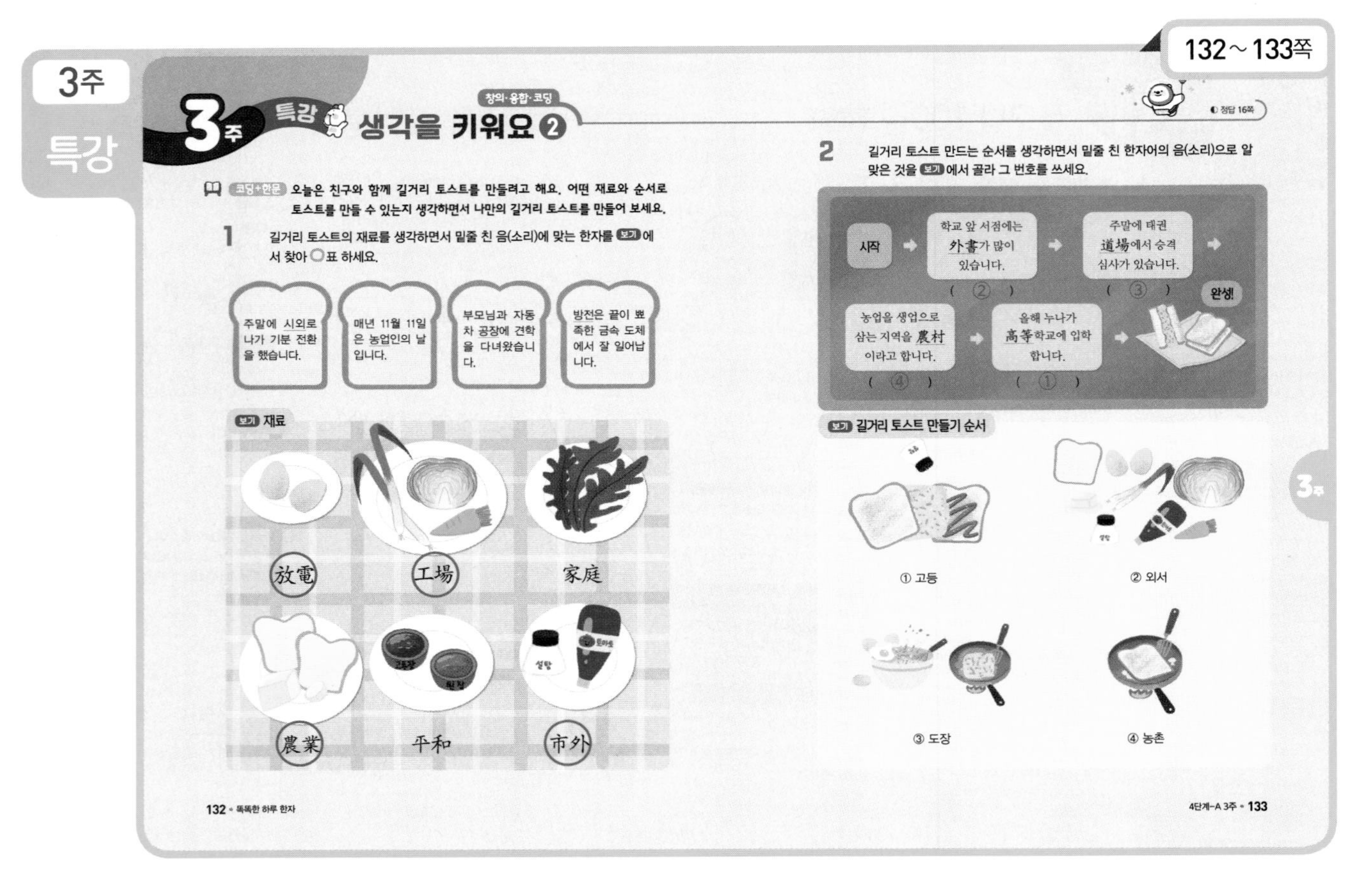
3주 특강

3주 특강 창의·융합·코딩 생각을 키워요 ②

코딩+한문 오늘은 친구와 함께 길거리 토스트를 만들려고 해요. 어떤 재료와 순서로 토스트를 만들 수 있는지 생각하면서 나만의 길거리 토스트를 만들어 보세요.

1 길거리 토스트의 재료를 생각하면서 밑줄 친 음(소리)에 맞는 한자를 보기 에서 찾아 ○표 하세요.

주말에 시외로 나가 기분 전환을 했습니다.

매년 11월 11일은 농업인의 날입니다.

부모님과 자동차 공장에 견학을 다녀왔습니다.

방전은 끝이 뾰족한 금속 도체에서 잘 일어납니다.

보기 재료

(放電) (工場) 家庭

(農業) 平和 (市外)

132 • 똑똑한 하루 한자

정답 16쪽

2 길거리 토스트 만드는 순서를 생각하면서 밑줄 친 한자어의 음(소리)으로 알맞은 것을 보기 에서 골라 그 번호를 쓰세요.

시작 → 학교 앞 서점에는 外書가 많이 있습니다. (②) → 주말에 태권道場에서 승격 심사가 있습니다. (③) → 농업을 생업으로 삼는 지역을 農村이라고 합니다. (④) → 올해 누나가 高等학교에 입학합니다. (①) → 완성!

보기 길거리 토스트 만들기 순서

① 고등 ② 외서 ③ 도장 ④ 농촌

4단계-A 3주 • 133

134~135쪽

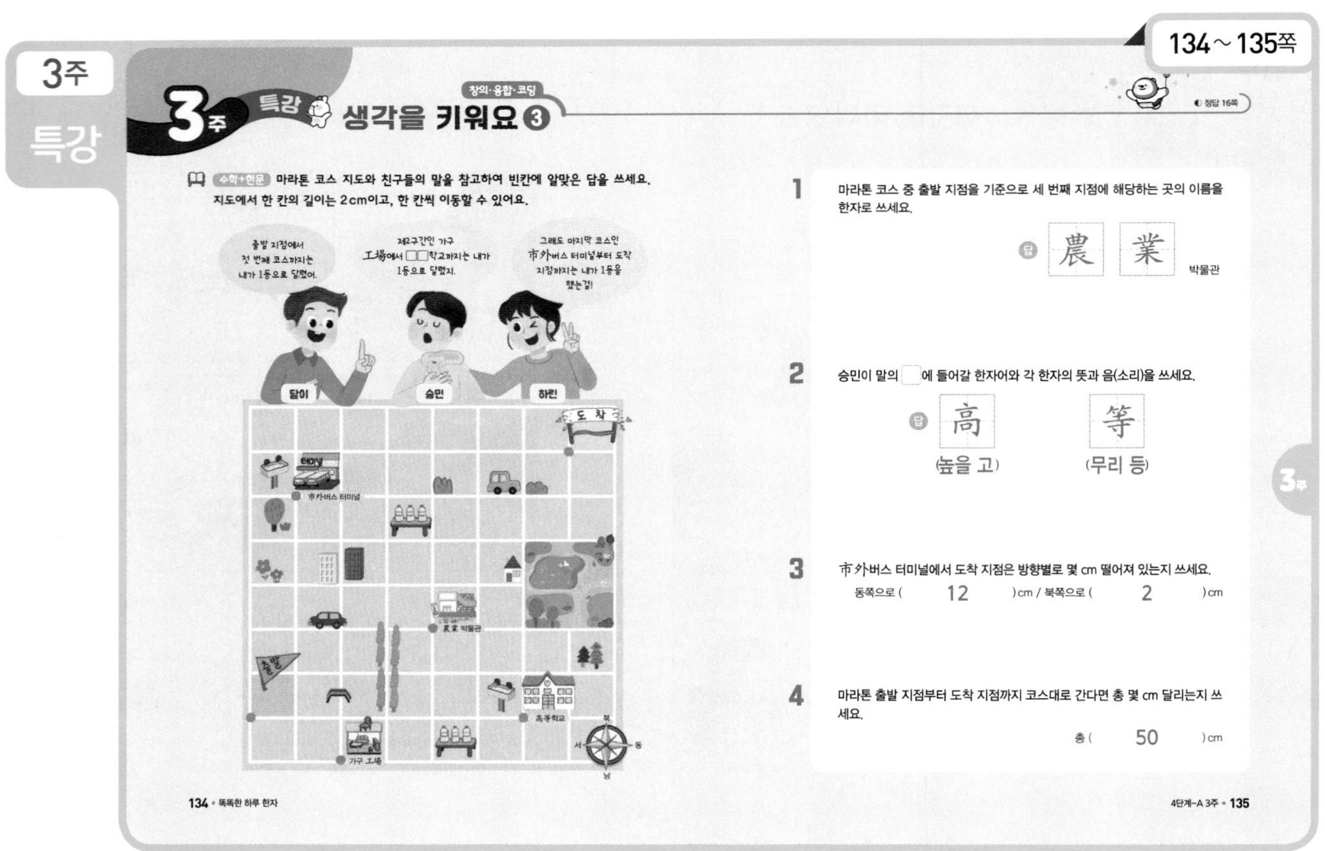
3주 특강

3주 특강 창의·융합·코딩 생각을 키워요 ③

수학+한문 마라톤 코스 지도와 친구들의 말을 참고하여 빈칸에 알맞은 답을 쓰세요. 지도에서 한 칸의 길이는 2cm이고, 한 칸씩 이동할 수 있어요.

정답 16쪽

1 마라톤 코스 중 출발 지점을 기준으로 세 번째 지점에 해당하는 곳의 이름을 한자로 쓰세요.

답 農 業 박물관

2 승민이 말의 □에 들어갈 한자어와 각 한자의 뜻과 음(소리)을 쓰세요.

답 高 (높을 고) 等 (무리 등)

3 市外버스 터미널에서 도착 지점은 방향별로 몇 cm 떨어져 있는지 쓰세요.

동쪽으로 (12)cm / 북쪽으로 (2)cm

4 마라톤 출발 지점부터 도착 지점까지 코스대로 간다면 총 몇 cm 달리는지 쓰세요.

총 (50)cm

134 • 똑똑한 하루 한자

4단계-A 3주 • 135

4주 도입

138~139쪽

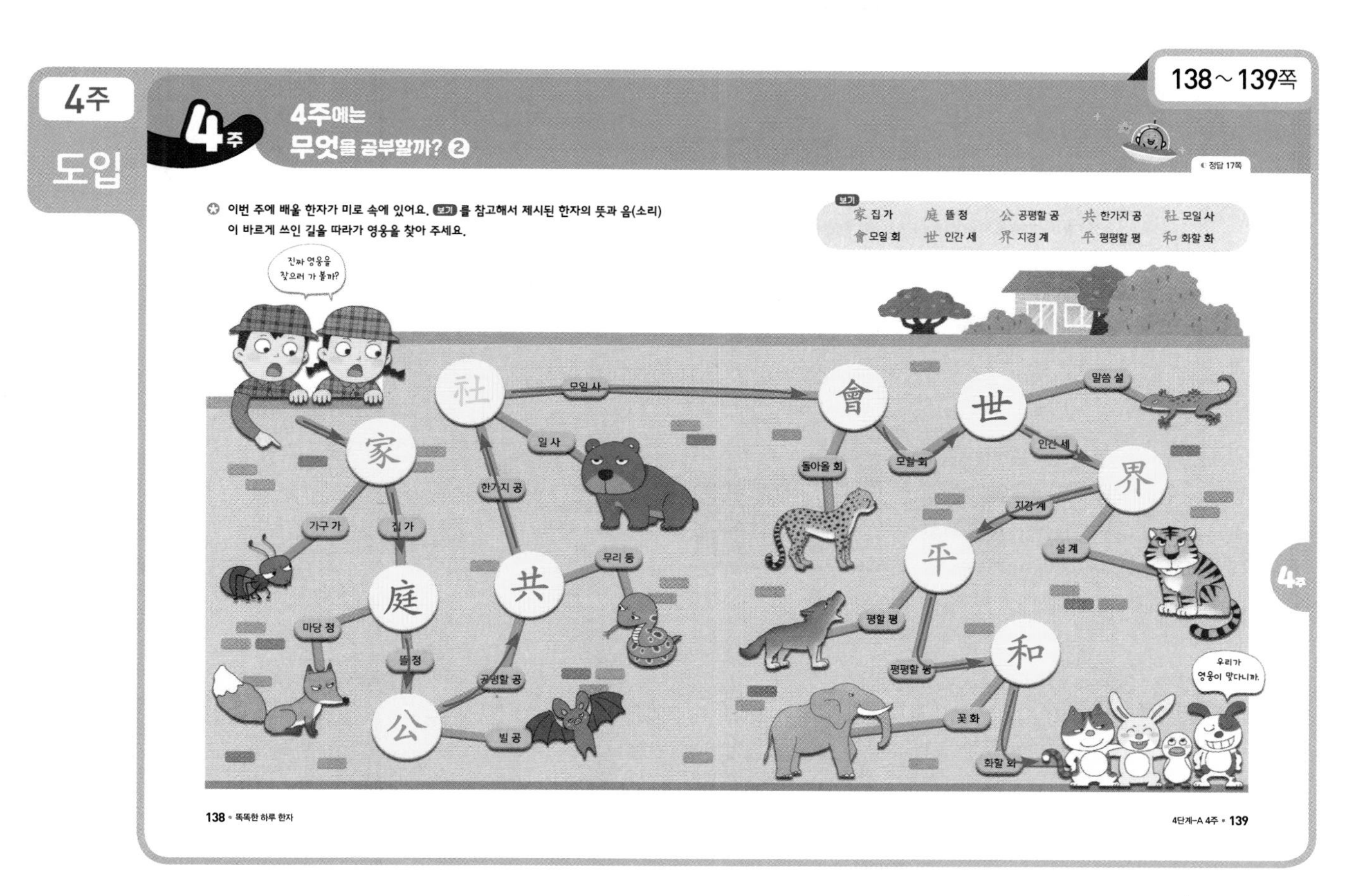

4주 **4주에는 무엇을 공부할까? ②**

정답 17쪽

이번 주에 배울 한자가 미로 속에 있어요. 보기 를 참고해서 제시된 한자의 뜻과 음(소리)이 바르게 쓰인 길을 따라가 영웅을 찾아 주세요.

보기
家 집 가 庭 뜰 정 公 공평할 공 共 한가지 공 社 모일 사
會 모일 회 世 인간 세 界 지경 계 平 평평할 평 和 화할 화

138 • 똑똑한 하루 한자 4단계-A 4주 • 139

4주 1일

144~145쪽

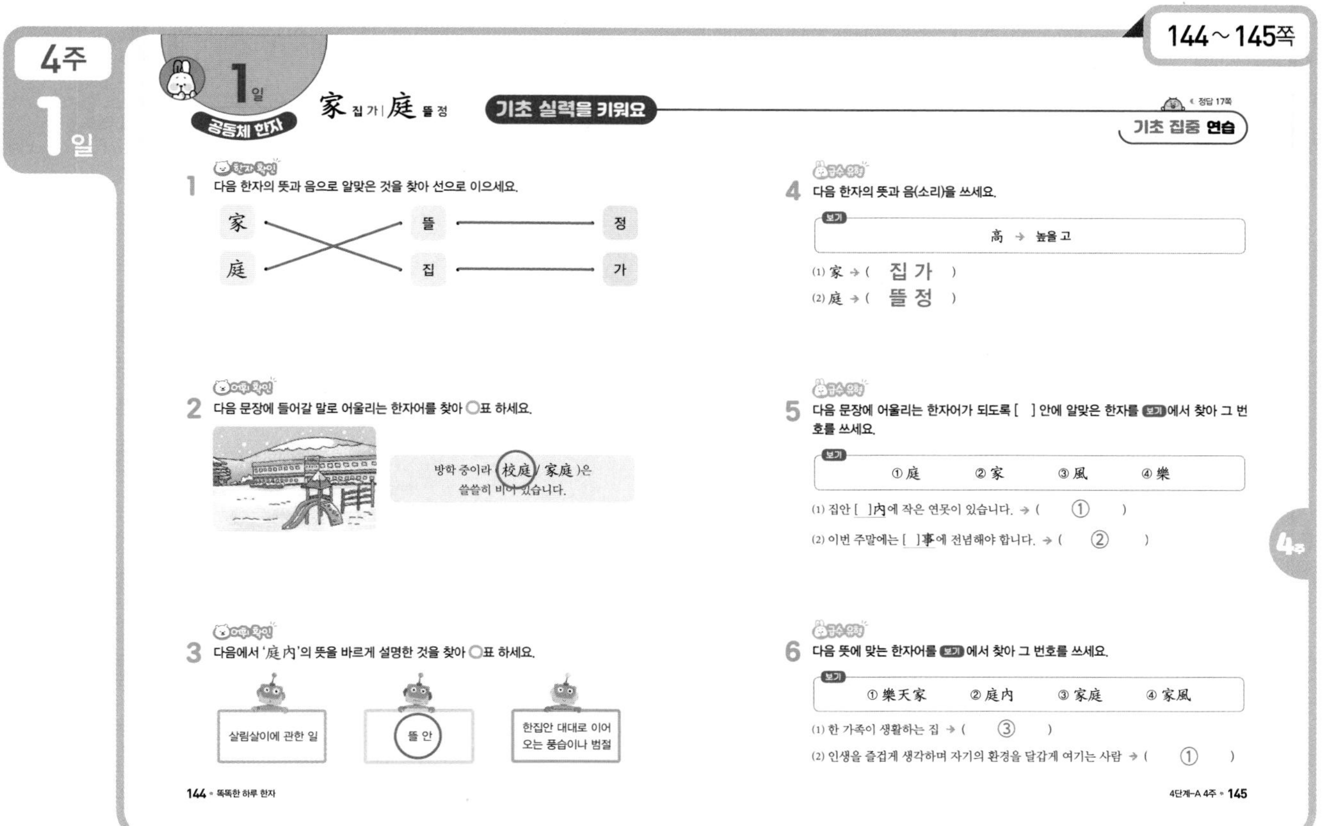

1일 공동체 한자 家 집 가 | 庭 뜰 정 **기초 실력을 키워요**

정답 17쪽 기초 집중 연습

1 다음 한자의 뜻과 음으로 알맞은 것을 찾아 선으로 이으세요.

家 — 집 — 가
庭 — 뜰 — 정

2 다음 문장에 들어갈 말로 어울리는 한자어를 찾아 ○표 하세요.

방학 중이라 (校庭 / 家庭)은 쓸쓸히 비어 있습니다.

정답: 校庭

3 다음에서 '庭內'의 뜻을 바르게 설명한 것을 찾아 ○표 하세요.

살림살이에 관한 일 / 뜰 안 / 한집안 대대로 이어 오는 풍습이나 범절

정답: 뜰 안

4 다음 한자의 뜻과 음(소리)을 쓰세요.

보기 高 → 높을 고

(1) 家 → (집 가)
(2) 庭 → (뜰 정)

5 다음 문장에 어울리는 한자어가 되도록 [ ] 안에 알맞은 한자를 보기 에서 찾아 그 번호를 쓰세요.

보기 ① 庭 ② 家 ③ 風 ④ 樂

(1) 집안 [ ]內에 작은 연못이 있습니다. → (①)
(2) 이번 주말에는 [ ]事에 전념해야 합니다. → (②)

6 다음 뜻에 맞는 한자어를 보기 에서 찾아 그 번호를 쓰세요.

보기 ① 樂天家 ② 庭內 ③ 家庭 ④ 家風

(1) 한 가족이 생활하는 집 → (③)
(2) 인생을 즐겁게 생각하며 자기의 환경을 달갑게 여기는 사람 → (①)

144 • 똑똑한 하루 한자 4단계-A 4주 • 145

정답

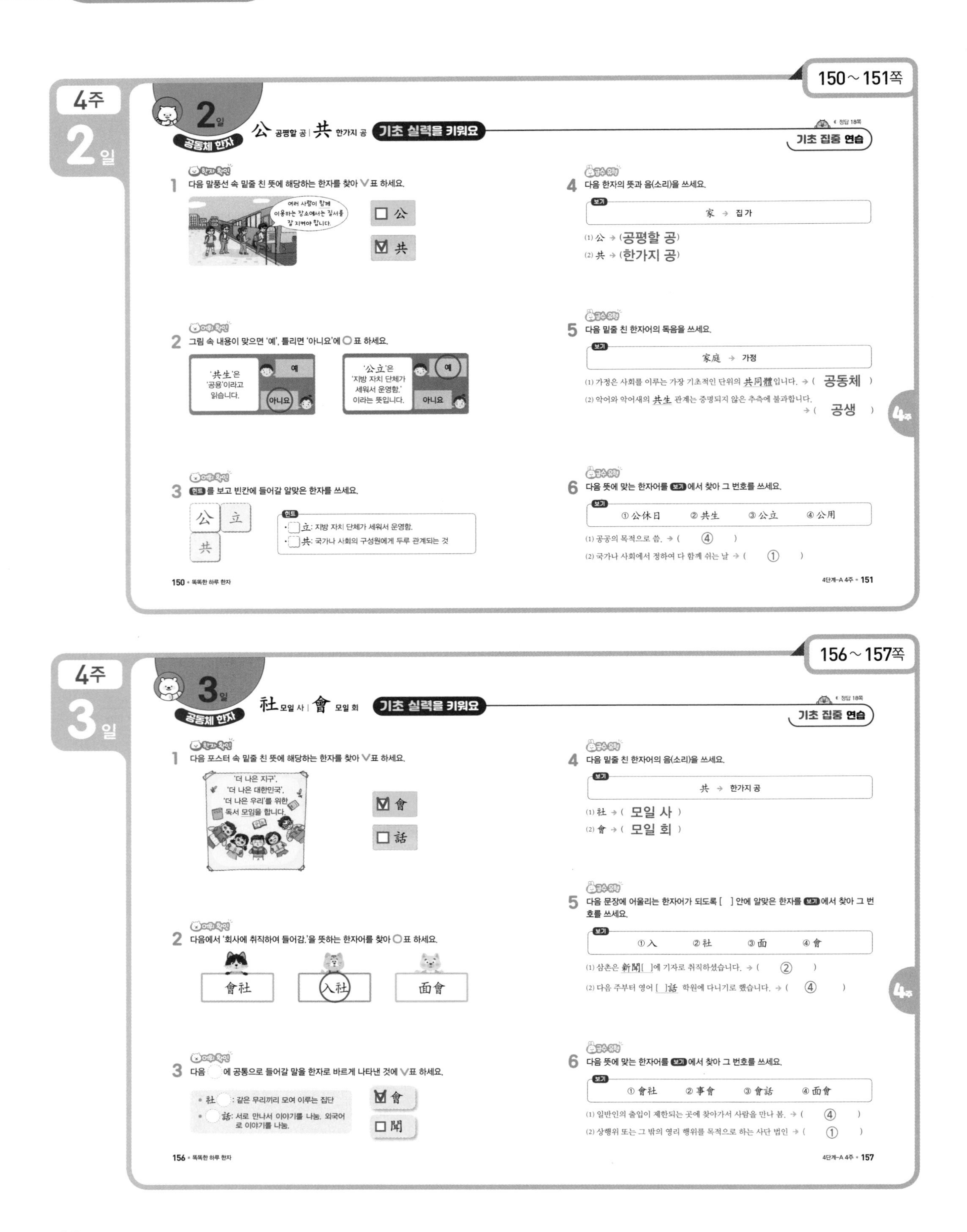

150~151쪽

4주 2일

2일 공동체 한자

公 공평할 공 | 共 한가지 공 기초 실력을 키워요

기초 집중 연습

1 다음 말풍선 속 밑줄 친 뜻에 해당하는 한자를 찾아 ∨표 하세요.

여러 사람이 함께 이용하는 장소에서는 질서를 잘 지켜야 합니다.

□ 公 ☑ 共

2 그림 속 내용이 맞으면 '예', 틀리면 '아니요'에 ○표 하세요.

'共生'은 '공용'이라고 읽습니다. — 예 / (아니요)

'公立'은 '지방 자치 단체가 세워서 운영함.'이라는 뜻입니다. — (예) / 아니요

3 힌트를 보고 빈칸에 들어갈 알맞은 한자를 쓰세요.

公 立 共

힌트
- □立: 지방 자치 단체가 세워서 운영함.
- □共: 국가나 사회의 구성원에게 두루 관계되는 것

4 다음 한자의 뜻과 음(소리)을 쓰세요.

보기: 家 → 집 가

(1) 公 → (공평할 공)
(2) 共 → (한가지 공)

5 다음 밑줄 친 한자어의 독음을 쓰세요.

보기: 家庭 → 가정

(1) 가정은 사회를 이루는 가장 기초적인 단위의 共同體입니다. → (공동체)
(2) 악어와 악어새의 共生 관계는 증명되지 않은 추측에 불과합니다. → (공생)

6 다음 뜻에 맞는 한자어를 보기에서 찾아 그 번호를 쓰세요.

보기: ① 公休日 ② 共生 ③ 公立 ④ 公用

(1) 공공의 목적으로 씀. → (④)
(2) 국가나 사회에서 정하여 다 함께 쉬는 날 → (①)

150 • 똑똑한 하루 한자 | 4단계-A 4주 • 151

156~157쪽

4주 3일

3일 공동체 한자

社 모일 사 | 會 모일 회 기초 실력을 키워요

기초 집중 연습

1 다음 포스터 속 밑줄 친 뜻에 해당하는 한자를 찾아 ∨표 하세요.

'더 나은 지구', '더 나은 대한민국', '더 나은 우리'를 위한 독서 모임을 합니다.

☑ 會 □ 話

2 다음에서 '회사에 취직하여 들어감.'을 뜻하는 한자어를 찾아 ○표 하세요.

會社 (入社) 面會

3 다음 □에 공통으로 들어갈 말을 한자로 바르게 나타낸 것에 ∨표 하세요.

- 社□: 같은 무리끼리 모여 이루는 집단
- □話: 서로 만나서 이야기를 나눔. 외국어로 이야기를 나눔.

☑ 會 □ 聞

4 다음 밑줄 친 한자어의 음(소리)을 쓰세요.

보기: 共 → 한가지 공

(1) 社 → (모일 사)
(2) 會 → (모일 회)

5 다음 문장에 어울리는 한자어가 되도록 [ ] 안에 알맞은 한자를 보기에서 찾아 그 번호를 쓰세요.

보기: ① 入 ② 社 ③ 面 ④ 會

(1) 삼촌은 新聞[ ]에 기자로 취직하셨습니다. → (②)
(2) 다음 주부터 영어 [ ]話 학원에 다니기로 했습니다. → (④)

6 다음 뜻에 맞는 한자어를 보기에서 찾아 그 번호를 쓰세요.

보기: ① 會社 ② 事會 ③ 會話 ④ 面會

(1) 일반인의 출입이 제한되는 곳에 찾아가서 사람을 만나 봄. → (④)
(2) 상행위 또는 그 밖의 영리 행위를 목적으로 하는 사단 법인 → (①)

156 • 똑똑한 하루 한자 | 4단계-A 4주 • 157

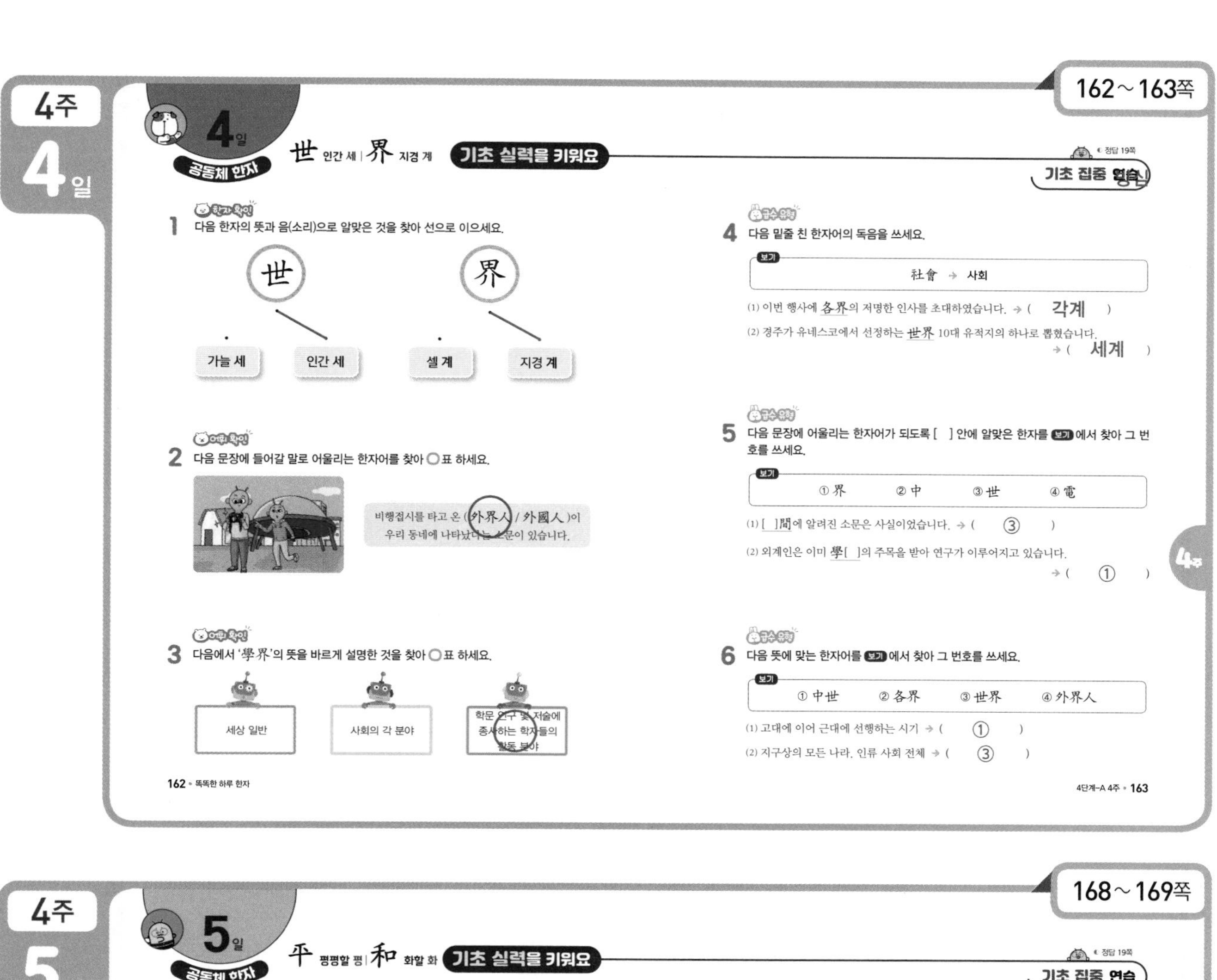

162~163쪽

4주 4일

4일 공동체 한자

世 인간 세 | 界 지경 계 기초 실력을 키워요

정답 19쪽

기초 집중 연습

한자 확인

1 다음 한자의 뜻과 음(소리)으로 알맞은 것을 찾아 선으로 이으세요.

世 — 인간 세
界 — 지경 계

가늘 세 / 인간 세 / 셀 계 / 지경 계

어휘 확인

2 다음 문장에 들어갈 말로 어울리는 한자어를 찾아 ○표 하세요.

비행접시를 타고 온 (外界人 / 外國人)이 우리 동네에 나타났다는 소문이 있습니다.

정답: 外界人

어휘 확인

3 다음에서 '學界'의 뜻을 바르게 설명한 것을 찾아 ○표 하세요.

세상 일반 / 사회의 각 분야 / 학문 연구 및 저술에 종사하는 학자들의 활동 분야

정답: 학문 연구 및 저술에 종사하는 학자들의 활동 분야

급수 완성

4 다음 밑줄 친 한자어의 독음을 쓰세요.

보기: 社會 → 사회

(1) 이번 행사에 各界의 저명한 인사를 초대하였습니다. → (각계)

(2) 경주가 유네스코에서 선정하는 世界 10대 유적지의 하나로 뽑혔습니다. → (세계)

급수 완성

5 다음 문장에 어울리는 한자어가 되도록 [ ] 안에 알맞은 한자를 보기에서 찾아 그 번호를 쓰세요.

보기: ① 界 ② 中 ③ 世 ④ 電

(1) [ ]間에 알려진 소문은 사실이었습니다. → (③)

(2) 외계인은 이미 學[ ]의 주목을 받아 연구가 이루어지고 있습니다. → (①)

급수 완성

6 다음 뜻에 맞는 한자어를 보기에서 찾아 그 번호를 쓰세요.

보기: ① 中世 ② 各界 ③ 世界 ④ 外界人

(1) 고대에 이어 근대에 선행하는 시기 → (①)

(2) 지구상의 모든 나라. 인류 사회 전체 → (③)

162 • 똑똑한 하루 한자

4단계-A 4주 • 163

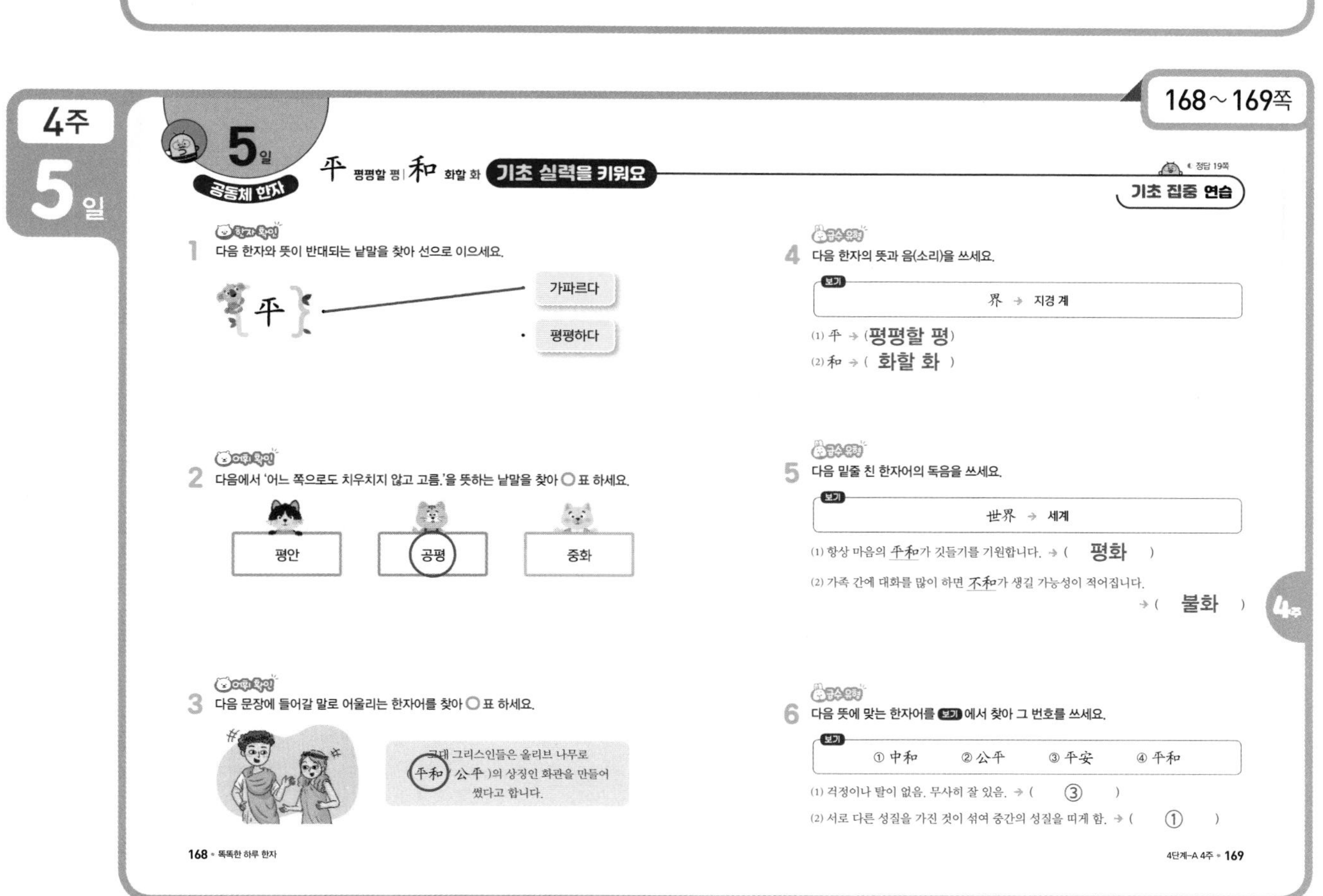

168~169쪽

4주 5일

5일 공동체 한자

平 평평할 평 | 和 화할 화 기초 실력을 키워요

정답 19쪽

기초 집중 연습

한자 확인

1 다음 한자와 뜻이 반대되는 낱말을 찾아 선으로 이으세요.

平 — 가파르다

가파르다 / 평평하다

어휘 확인

2 다음에서 '어느 쪽으로도 치우치지 않고 고름.'을 뜻하는 낱말을 찾아 ○표 하세요.

평안 / 공평 / 중화

정답: 공평

어휘 확인

3 다음 문장에 들어갈 말로 어울리는 한자어를 찾아 ○표 하세요.

고대 그리스인들은 올리브 나무로 (平和 / 公平)의 상징인 화관을 만들어 썼다고 합니다.

정답: 平和

급수 완성

4 다음 한자의 뜻과 음(소리)을 쓰세요.

보기: 界 → 지경 계

(1) 平 → (평평할 평)

(2) 和 → (화할 화)

급수 완성

5 다음 밑줄 친 한자어의 독음을 쓰세요.

보기: 世界 → 세계

(1) 항상 마음의 平和가 깃들기를 기원합니다. → (평화)

(2) 가족 간에 대화를 많이 하면 不和가 생길 가능성이 적어집니다. → (불화)

급수 완성

6 다음 뜻에 맞는 한자어를 보기에서 찾아 그 번호를 쓰세요.

보기: ① 中和 ② 公平 ③ 平安 ④ 平和

(1) 걱정이나 탈이 없음. 무사히 잘 있음. → (③)

(2) 서로 다른 성질을 가진 것이 섞여 중간의 성질을 띠게 함. → (①)

168 • 똑똑한 하루 한자

4단계-A 4주 • 169

정답

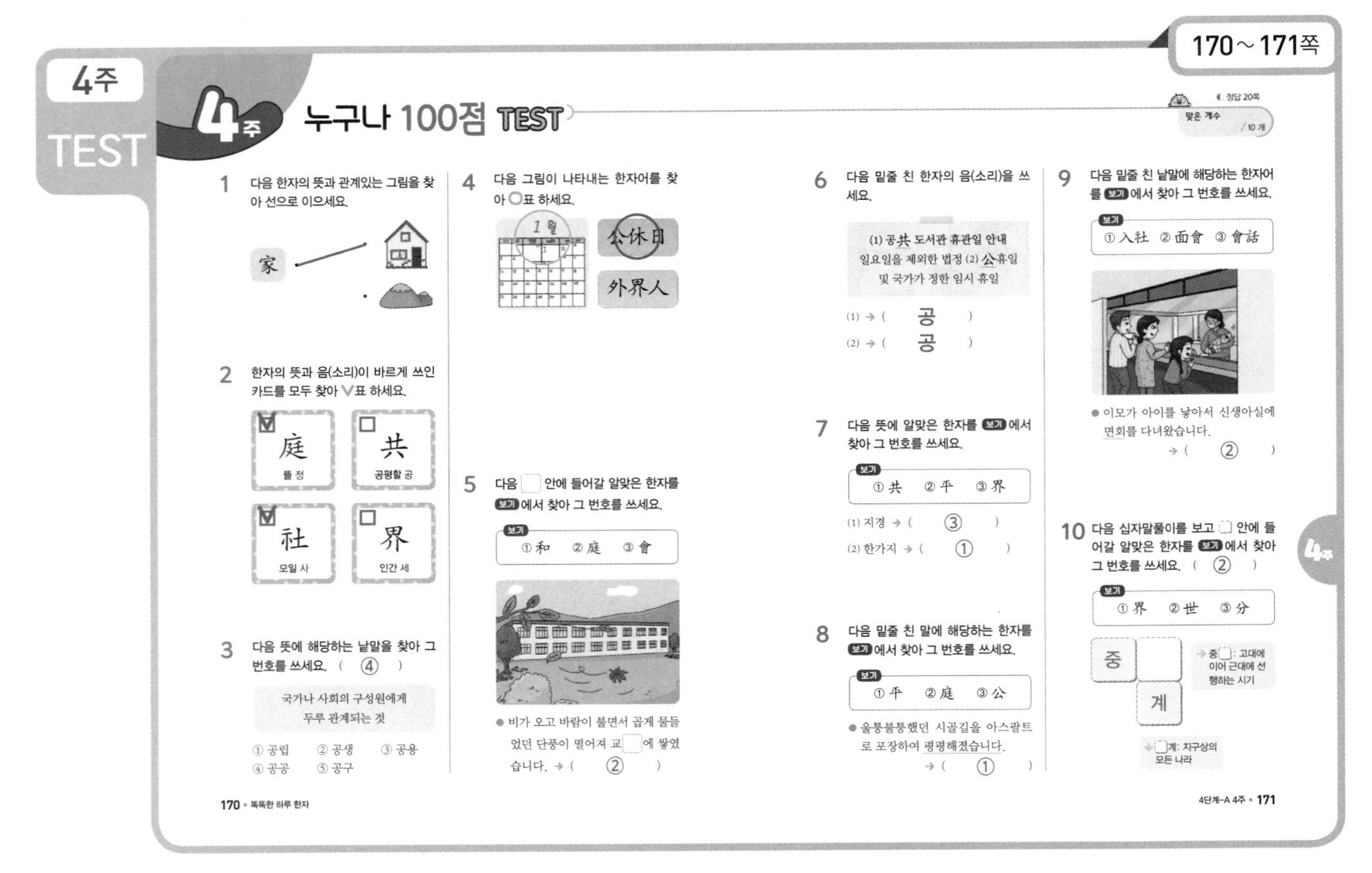
170~171쪽

4주 TEST

4주 누구나 100점 TEST

정답 20쪽 맞은 개수 / 10 개

1 다음 한자의 뜻과 관계있는 그림을 찾아 선으로 이으세요.

家

2 한자의 뜻과 음(소리)이 바르게 쓰인 카드를 모두 찾아 ∨표 하세요.

☑ 庭 뜰 정　☐ 共 공평할 공　☑ 社 모일 사　☐ 界 인간 세

3 다음 뜻에 해당하는 낱말을 찾아 그 번호를 쓰세요. (④)

국가나 사회의 구성원에게 두루 관계되는 것

① 공립　② 공생　③ 공용　④ 공공　⑤ 공구

4 다음 그림이 나타내는 한자어를 찾아 ○표 하세요.

1월

(公休日)　外界人

5 다음 ☐ 안에 들어갈 알맞은 한자를 보기에서 찾아 그 번호를 쓰세요.

보기 ① 和　② 庭　③ 會

● 비가 오고 바람이 불면서 곱게 물들었던 단풍이 떨어져 교☐에 쌓였습니다. → (②)

6 다음 밑줄 친 한자의 음(소리)을 쓰세요.

(1) 공共 도서관 휴관일 안내
일요일을 제외한 법정 (2) 公휴일 및 국가가 정한 임시 휴일

(1) → (공)
(2) → (공)

7 다음 뜻에 알맞은 한자를 보기에서 찾아 그 번호를 쓰세요.

보기 ① 共　② 平　③ 界

(1) 지경 → (③)
(2) 한가지 → (①)

8 다음 밑줄 친 말에 해당하는 한자를 보기에서 찾아 그 번호를 쓰세요.

보기 ① 平　② 庭　③ 公

● 울퉁불퉁했던 시골길을 아스팔트로 포장하여 평평해졌습니다. → (①)

9 다음 밑줄 친 낱말에 해당하는 한자어를 보기에서 찾아 그 번호를 쓰세요.

보기 ① 入社　② 面會　③ 會話

● 이모가 아이를 낳아서 신생아실에 면회를 다녀왔습니다. → (②)

10 다음 십자말풀이를 보고 ☐ 안에 들어갈 알맞은 한자를 보기에서 찾아 그 번호를 쓰세요. (②)

보기 ① 界　② 世　③ 分

중 / 계

→ 중☐: 고대에 이어 근대에 선행하는 시기

↓ ☐계: 지구상의 모든 나라

170 • 똑똑한 하루 한자　　4단계-A 4주 • 171

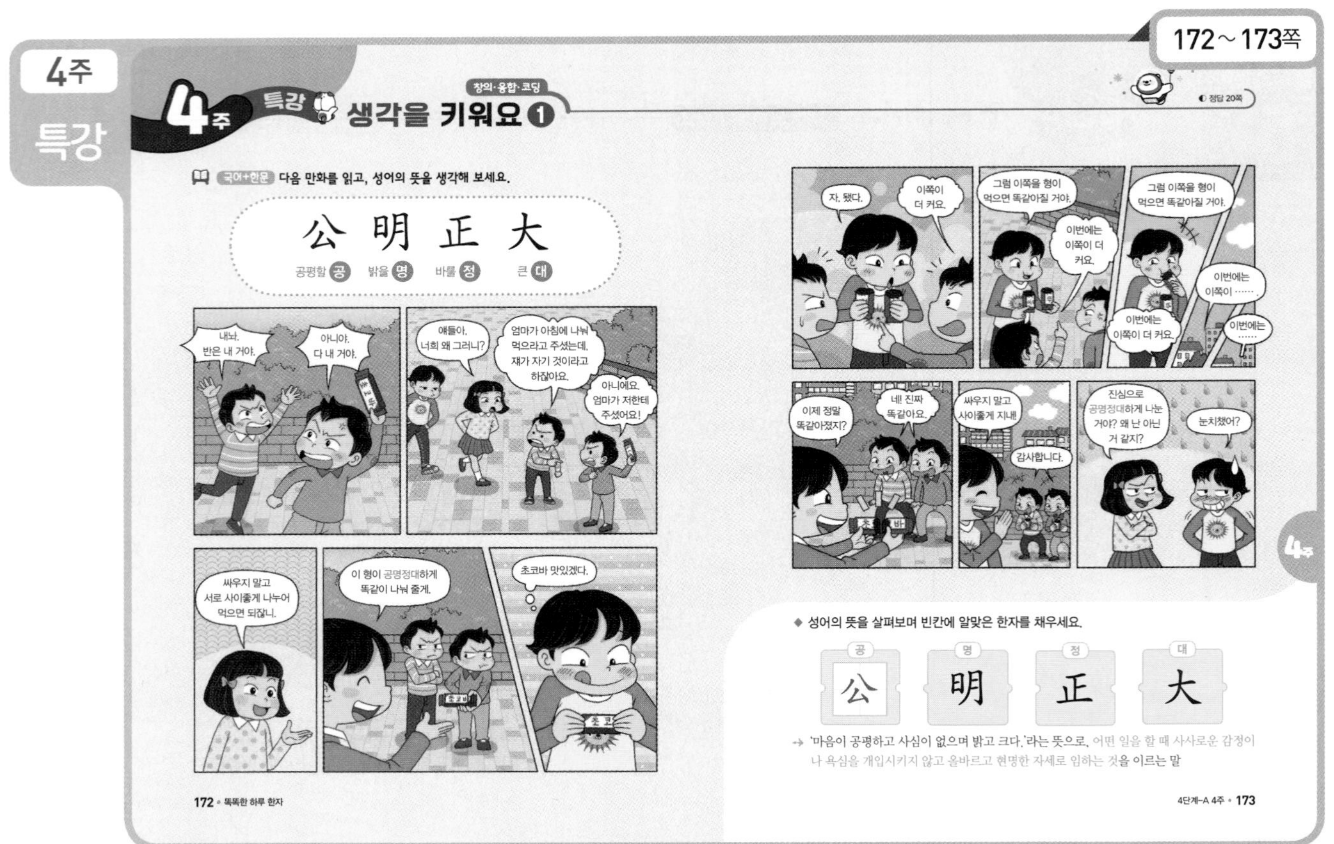
172~173쪽

4주 특강

4주 특강 창의·융합·코딩 생각을 키워요 1

정답 20쪽

국어+한문 다음 만화를 읽고, 성어의 뜻을 생각해 보세요.

公明正大
공평할 공　밝을 명　바를 정　큰 대

◆ 성어의 뜻을 살펴보며 빈칸에 알맞은 한자를 채우세요.

공 公　명 明　정 正　대 大

→ '마음이 공평하고 사심이 없으며 밝고 크다.'라는 뜻으로, 어떤 일을 할 때 사사로운 감정이나 욕심을 개입시키지 않고 올바르고 현명한 자세로 임하는 것을 이르는 말

172 • 똑똑한 하루 한자　　4단계-A 4주 • 173

4주 특강

174~175쪽

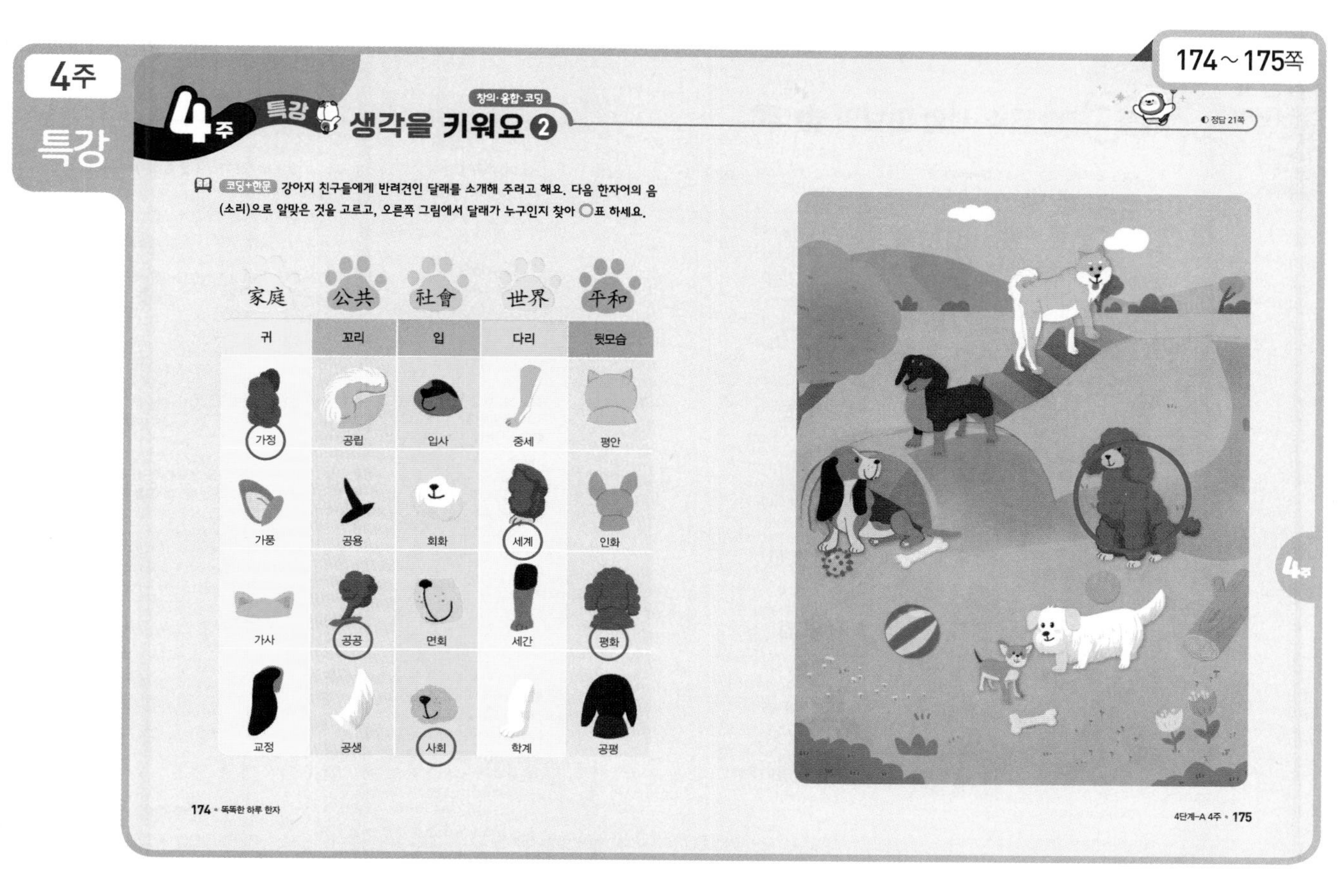
4주 특강 생각을 키워요 ②

창의·융합·코딩

◐ 정답 21쪽

코딩+한문 강아지 친구들에게 반려견인 달래를 소개해 주려고 해요. 다음 한자어의 음(소리)으로 알맞은 것을 고르고, 오른쪽 그림에서 달래가 누구인지 찾아 ○표 하세요.

家庭	公共	社會	世界	平和
귀	꼬리	입	다리	뒷모습
(가정)	공립	입사	중세	평안
가풍	공용	회화	(세계)	인화
가사	(공공)	면회	세간	(평화)
교정	공생	(사회)	학계	공평

174 • 똑똑한 하루 한자

4단계-A 4주 • 175

4주 특강

176~177쪽

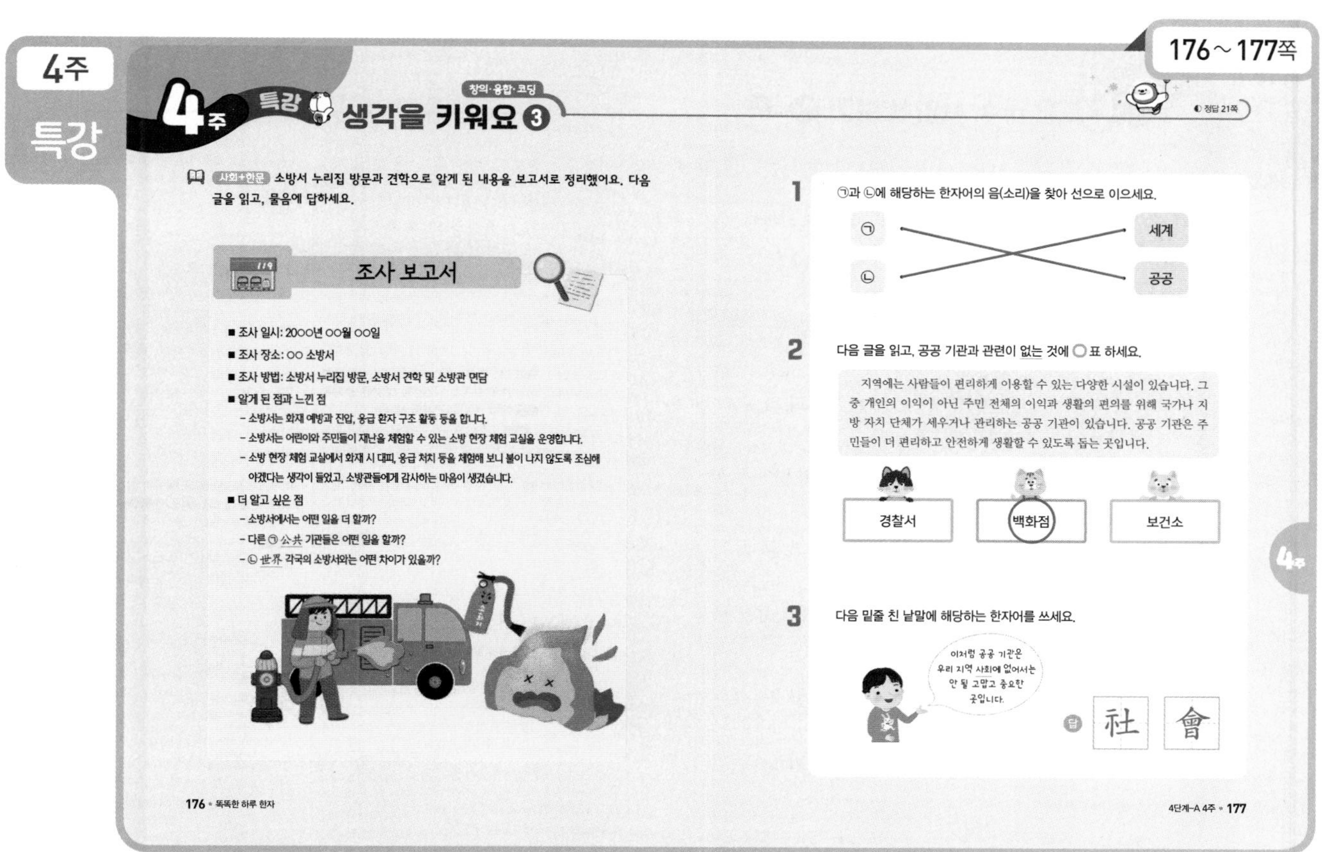
4주 특강 생각을 키워요 ③

창의·융합·코딩

◐ 정답 21쪽

사회+한문 소방서 누리집 방문과 견학으로 알게 된 내용을 보고서로 정리했어요. 다음 글을 읽고, 물음에 답하세요.

조사 보고서

- 조사 일시: 20○○년 ○○월 ○○일
- 조사 장소: ○○ 소방서
- 조사 방법: 소방서 누리집 방문, 소방서 견학 및 소방관 면담
- 알게 된 점과 느낀 점
  - 소방서는 화재 예방과 진압, 응급 환자 구조 활동 등을 합니다.
  - 소방서는 어린이와 주민들이 재난을 체험할 수 있는 소방 현장 체험 교실을 운영합니다.
  - 소방 현장 체험 교실에서 화재 시 대피, 응급 처치 등을 체험해 보니 불이 나지 않도록 조심해야겠다는 생각이 들었고, 소방관들에게 감사하는 마음이 생겼습니다.
- 더 알고 싶은 점
  - 소방서에서는 어떤 일을 더 할까?
  - 다른 ㉠ 公共 기관들은 어떤 일을 할까?
  - ㉡ 世界 각국의 소방서와는 어떤 차이가 있을까?

1 ㉠과 ㉡에 해당하는 한자어의 음(소리)을 찾아 선으로 이으세요.

㉠ — 공공

㉡ — 세계

2 다음 글을 읽고, 공공 기관과 관련이 없는 것에 ○표 하세요.

지역에는 사람들이 편리하게 이용할 수 있는 다양한 시설이 있습니다. 그 중 개인의 이익이 아닌 주민 전체의 이익과 생활의 편의를 위해 국가나 지방 자치 단체가 세우거나 관리하는 공공 기관이 있습니다. 공공 기관은 주민들이 더 편리하고 안전하게 생활할 수 있도록 돕는 곳입니다.

경찰서 / (백화점) / 보건소

3 다음 밑줄 친 낱말에 해당하는 한자어를 쓰세요.

이처럼 공공 기관은
우리 지역 사회에 없어서는
안 될 고맙고 중요한
곳입니다.

답 社 會

176 • 똑똑한 하루 한자

4단계-A 4주 • 177

178~179쪽

6급 Ⅱ 급수 시험

6급Ⅱ 급수 시험 맛보기 1회

정답 22쪽

[문제 1~8] 다음 밑줄 친 漢字語한자어의 讀音(독음: 읽는 소리)을 쓰세요.

보기: 漢字 → 한자

1 모두 친구의 發表에 주목해 주세요. (발표)

2 그 場面은 매우 감격적이었습니다. (장면)

3 빈칸에 이름을 記入해 주세요. (기입)

4 자를 대고 똑바로 直線을 그었습니다. (직선)

5 나는 양식보다 韓食을 더 좋아합니다. (한식)

6 휴대 전화가 放電되어 연락할 수 없었습니다. (방전)

7 오늘은 公休日이라 학교에 가지 않습니다. (공휴일)

8 집마다 家風이 다릅니다. (가풍)

[문제 9~16] 다음 漢字한자의 訓(훈: 뜻)과 音(음: 소리)을 쓰세요.

보기: 字 → 글자 자

9 事 (일 사)

10 聞 (들을 문)

11 窓 (창 창)

12 藥 (약 약)

13 電 (번개 전)

14 業 (업 업)

15 共 (한가지 공)

16 和 (화할 화)

[문제 17] 다음 중 뜻이 서로 반대(상대)되는 漢字한자끼리 연결되지 않은 것을 고르세요.

17 ① 夏 ↔ 冬 ② 問 ↔ 答 ③ 平 ↔ 等 ④ 手 ↔ 足 (③)

[문제 18] 다음 문장에 어울리는 漢字語한자어가 되도록 ( ) 안에 알맞은 한자를 보기에서 찾아 그 번호를 쓰세요.

보기: ① 窓 ② 線 ③ 高 ④ 題

18 수학 問( )를 푸는 데에 오랜 시간이 걸렸습니다. (④)

[문제 19] 다음 뜻에 맞는 漢字語한자어를 보기에서 찾아 그 번호를 쓰세요.

보기: ① 全市 ② 工作 ③ 電球 ④ 庭內

19 뜰 안 (④)

[문제 20~23] 다음 밑줄 친 漢字語한자어를 漢字한자로 쓰세요.

20 실외에서 운동을 했습니다. (室外)

21 가고 싶은 대학에 방문할 것입니다. (大學)

22 생수를 사 마셨습니다. (生水)

23 내 친구는 외국인입니다. (外國人)

[문제 24~25] 다음 漢字한자의 짙게 표시한 획은 몇 번째 쓰는 획인지 보기에서 찾아 그 번호를 쓰세요.

보기: ① 첫 번째 ② 두 번째 ③ 세 번째 ④ 네 번째

24 和 (②)

25 外 (③)

180~181쪽

6급 Ⅱ 급수 시험

6급Ⅱ 급수 시험 맛보기 2회

정답 22쪽

[문제 1~8] 다음 밑줄 친 漢字語한자어의 讀音(독음: 읽는 소리)을 쓰세요.

보기: 漢字 → 한자

1 어머니께서 外家에 갈 준비를 하십니다. (외가)

2 新年을 맞아 계획을 세웠습니다. (신년)

3 친구와 食事 약속을 잡았습니다. (식사)

4 高地가 코앞이므로 절대 포기하지 않았습니다. (고지)

5 놀이공원 入口에 사람들이 줄을 서 있습니다. (입구)

6 그는 新聞社에 출근한 지 며칠 되지 않았습니다. (신문사)

7 飮用할 수 있는 물을 마셔야 탈이 나지 않습니다. (음용)

8 公平하게 투표를 통해서 정했습니다. (공평)

[문제 9~16] 다음 漢字한자의 訓(훈: 뜻)과 音(음: 소리)을 쓰세요.

보기: 字 → 글자 자

9 話 (말씀 화)

10 書 (글 서)

11 果 (실과 과)

12 堂 (집 당)

13 等 (무리 등)

14 工 (장인 공)

15 會 (모일 회)

16 界 (지경 계)

[문제 17] 다음 중 뜻이 서로 반대(상대)되는 漢字한자끼리 연결되지 않은 것을 고르세요.

17 ① 春 ↔ 秋 ② 天 ↔ 地 ③ 社 ↔ 會 ④ 東 ↔ 西 (③)

[문제 18] 다음 문장에 어울리는 漢字語한자어가 되도록 ( ) 안에 알맞은 한자를 보기에서 찾아 그 번호를 쓰세요.

보기: ① 讀 ② 平 ③ 家 ④ 放

18 나는 매일 아침 30분씩 ( )書 시간을 가집니다. (①)

[문제 19] 다음 뜻에 맞는 漢字語한자어를 보기에서 찾아 그 번호를 쓰세요.

보기: ① 等分 ② 世間 ③ 不和 ④ 主業

19 서로 화합하지 못함. 또는 서로 사이좋게 지내지 못함. (③)

[문제 20~23] 다음 밑줄 친 漢字語한자어를 漢字한자로 쓰세요.

20 이 그림은 중국의 풍경을 담고 있습니다. (中國)

21 지금이 인생의 황금기입니다. (人生)

22 학생들이 교실에 모였습니다. (學生)

23 중년의 아저씨가 짐을 들어 주셨습니다. (中年)

[문제 24~25] 다음 漢字한자의 짙게 표시한 획은 몇 번째 쓰는 획인지 보기에서 찾아 그 번호를 쓰세요.

보기: ① 첫 번째 ② 두 번째 ③ 세 번째 ④ 네 번째

24 表 (④)

25 室 (②)

memo

memo

정답은
이안에
있어!

기초 학습능력 강화 프로그램

매일 조금씩 공부력 UP!

국어
예비초~초6

수학
예비초~초6

영어
예비초~초6

봄·여름 가을·겨울
(바·슬·즐)
초1~초2

안전
초1~초2

사회·과학
초3~초6

배움으로 행복한 내일을 꿈꾸는

천재교육 커뮤니티 안내

교재 안내부터 구매까지 한 번에!

천재교육 홈페이지

천재교육 홈페이지에서는 자사가 발행하는 참고서,
교과서에 대한 소개는 물론 도서 구매도 할 수 있습니다.
회원에게 지급되는 별을 모아 다양한 상품 응모에도
도전해 보세요.

구독, 좋아요는 필수! 핵유용 정보 가득한

천재교육 유튜브 <천재TV>

신간에 대한 자세한 정보가 궁금하세요?
참고서를 어떻게 활용해야 할지 고민인가요?
공부 외 다양한 고민을 해결해 줄 채널이 필요한가요?
학생들에게 꼭 필요한 콘텐츠로 가득한 천재TV로 놀러 오세요!

다양한 교육 꿀팁에 깜짝 이벤트는 덤!

천재교육 인스타그램

천재교육의 새롭고 중요한 소식을 가장 먼저 접하고 싶다면?
천재교육 인스타그램 팔로우가 필수!
누구보다 빠르고 재미있게 천재교육의 소식을 전달합니다.
깜짝 이벤트도 수시로 진행되니 놓치지 마세요!